L'ART BAROQUE

CHAPELLE NOSSA SENHORA DA AGONIA

« LES NEUF MUSES »

Histoire générale des Arts

COLLECTION DIRIGÉE PAR NORBERT DUFOURCQ

Pierre Charpentrat

Maître-assistant
à l'École Pratique des Hautes Études

l'art
baroque

PRESSES UNIVERSITAIRES DE FRANCE

108, BOULEVARD SAINT-GERMAIN, PARIS 6e

1967

SOMMAIRE

INTRODUCTION

A la mort de Philippe II, en 1598, le bilan des guerres de religion s'établit de lui-même, rigoureusement nul. La Paix de Vervins, simple confirmation de la Paix du Cateau, a montré quelques mois plus tôt que l'on s'était tué pour rien pendant une quarantaine d'années, et prouvé le caractère utopique des rêves unitaires de l'Espagne. En même temps l'Édit de Nantes définit une formule originale de coexistence entre les deux confessions. Les princes allemands s'efforcent, tout en restant armés, de trouver une sorte d'équilibre, *Union Évangélique* d'un côté, *Ligue Catholique* de l'autre. La Pologne, fidèle à Rome, et la Suède luthérienne, un moment unies par Sigismond Vasa, renoncent sagement à vivre ensemble. Bien plus, l'Espagne, livrée à l'indolent duc de Lerme, signe en 1609 une trêve avec les Hollandais, ce qui revient à reconnaître *de facto* leur indépendance et leur droit à l'hérésie. Chacun des deux camps découvre qu'il ne pourra jamais éliminer l'autre. « Après tout, dira un personnage de Lope de Vega, que m'ont fait les Luthériens ? Le Seigneur les a créés et pourrait, s'il le voulait, en finir avec eux beaucoup plus facilement que moi. »

A la « génération pacifiste » de Philippe III et de Lerme succédera, il est vrai, celle d'Olivares. Mais la Guerre de Trente Ans ne fera que rendre officielle et irrémédiable la mort de la Chrétienté. Le ministre de Philippe IV crut-il vraiment pouvoir, à la tête d'une Espagne appauvrie, déjà détachée de l'Europe, réussir là où avait échoué Philippe II, lorsque affluait l'or des Indes ? La victoire de la Montagne Blanche, en 1620, put donner l'illusion qu'une

reconquête catholique s'amorçait. De fait, le bastion protestant de Bohême est anéanti. Mais le mouvement s'arrête
là. Dix ans plus tard, l'arrivée de Gustave-Adolphe en Allemagne remet tout en question. La monotone alternance des
succès et des revers, des « sacs » papistes et des pillages évan-
géliques, rappelle longuement le caractère suranné de la
guerre. Signes, entre autres, que les temps sont changés :
les désertions de Simplicius Simplicissimus, qui passe
sans scrupules des camps suédois à ceux de l'Empereur,
et le geste amical de Spinola accueillant, dans la *Reddition
de Breda*, le vaincu protestant. Il n'y a plus de croisade. La
foi ne s'exporte plus, du moins chez les peuples civilisés.
Triomphera en définitive le pays qui, fondé lui-même en
partie sur la dualité religieuse, a su le premier laïciser
pleinement la guerre et lui assigner des objectifs d'avenir.
L'importance de Rocroi vient de ce que l'infanterie très
catholique y est détruite sans que le catholicisme doive en
souffrir.
Ainsi naissent, en ce début du XVIIᵉ siècle, deux Europes
dont la frontière, au bout du compte, ne coïncide même pas
avec celle de l'orthodoxie. L'une d'entre elles ne forme guère
qu'une coalition provisoire. Ce qui unit momentanément
les vainqueurs de 1648, calvinistes, catholiques et luthériens, républiques marchandes et rois encore en lutte contre
leurs derniers féodaux, c'est en un sens, justement, le refus
du monolithisme; c'est le souvenir redoutable des grands
« rassembleurs » du siècle précédent, Charles Quint et
Philippe II. Contre cette précaire conjonction de forces
novatrices et centrifuges, l'autre Europe au contraire, celle
dont Vervins a bloqué les progrès et pour qui les traités de
Westphalie et des Pyrénées marquent un net recul, s'efforce
désespérément de faire masse et de serrer les rangs. « L'autre
Europe », que combattent ou redoutent, sans pour autant
s'entendre toujours entre eux, les pays d'avenir, la France,
l'Angleterre, la Hollande, se fige sur la défensive et essaie
de faire régner en son sein l'unité sans faille et sans variations qu'elle n'a pu imposer au dehors. L'année même où
Philippe III traite avec les Provinces Unies, il expulse les
Morisques...

PL. 1 – LE BERNIN. Décoration du chœur de Saint-Pierre. ▶

► *L'Europe des Habsbourg*

Europe du *statu quo*, Europe de la Maison d'Autriche.
En 1600, le fils de Philippe II règne sur l'Espagne et le
Portugal, sur la Franche-Comté et l'actuelle Belgique, sur
le Milanais, Naples, la Sicile et la Sardaigne, grâce auxquels
il tient l'Italie. Les papes, à quelques exceptions près, tel
Urbain VIII, seront longtemps du parti d'Espagne. Les
neveux de Charles Quint possèdent à titre héréditaire
l'Autriche, avec la Styrie-Carinthie et le Tyrol, plusieurs
fiefs en Souabe, la couronne de Bohême (dont relève, pour un
siècle et demi encore, la Silésie), et la couronne de Hongrie,
c'est-à-dire une hypothèque sur les terres orientales occupées
par les Turcs. L'un d'entre eux, Rodolphe II, est empereur
d'Allemagne : ce titre donne droit comme on sait, non certes
à l'obéissance, mais au respect et parfois à la coopération
des Allemands catholiques, en particulier des princes
ecclésiastiques et du duc de Bavière. Ajoutons les possessions
hispano-portugaises d'Amérique. Ajoutons également les
cantons suisses catholiques et la Pologne, dont le destin
politique échappe certes aux Habsbourg, mais qui partagent
dans une certaine mesure l'évolution spirituelle de leurs
États : voilà, très grossièrement délimité, l'essentiel du
monde où pendant plus de cent cinquante ans, de la
reconnaissance de fait de la Réforme à la victoire du
« néo-classique », du divorce de la fin du xvie siècle à la
factice réunification placée sous le signe du *volapük* pompéien,
bouillonneront les arts que l'on rassemble communément,
de nos jours, sous le nom de *baroques*.
Stucs de l'Amalienburg aux grâces d'ombelle et stucs
mexicains aux gonflements d'agave, réflexions du clerc
Guarini sur les sections coniques et maçonneries anguleuses
des artisans du Vorarlberg, Rubens et Zurbaran ; dans la
même ville le Bernin et Borromini, dans le même homme le
Bernin architecte et le Bernin sculpteur : peut-on sans arbi-
traire dégager des caractéristiques générales ? Autrement
dit, *le Baroque* existe-t-il ? Il est dangereux et illogique de
résumer le foisonnement. Pour nombre de ceux qui ont cru
le définir, *le Baroque* n'est-il pas justement révolte contre

◄ Pl. ii – Le Bernin. Saint-André-du-Quirinal.   pc-i

les alignements conceptuels, voire contradiction assumée ?
La cohérence, si cohérence il y a, doit être cherchée ailleurs,
et c'est sur un autre plan que risquent de se trouver justifiés
le propos, les contours et la structure de ce livre. Si les arts
de « l'autre Europe » peuvent s'accommoder tant bien que
mal d'une épithète commune, sans doute est-ce dans la mesure
où, savants et rustiques, passionnés et guindés, idylliques et
funèbres, ils restent liés à un milieu relativement et paradoxalement homogène. Ces cinq ou six générations d'architectes de couvent et d'architectes de Cour, de régisseurs
d'opéra et de doreurs de madones, se sont formées et ont
vécu dans un monde encore « régionalisé », attaché aux
particularismes primitifs, et d'autant moins protégé contre
quelques grands courants « internationaux », d'autant plus
docile à quelques consignes venues de très loin. Pendant
que la France s'enferme dans un soliloque grandiose, un
dialogue s'instaure, dans chacune des provinces vassales
des Habsbourg et en Pologne, entre un folklore obstiné et
les principes généraux sur lesquels se fonde la nouvelle
catholicité.

▶ *L'Europe des Grands*

Négociants et banquiers d'Amsterdam, Têtes Rondes
d'Angleterre, membres du *Magistrat* des Villes Libres
allemandes, en France acheteurs d'offices et armateurs :
partout, au nord et à l'ouest, résistent, vainquent ou
« montent » les bourgeoisies. Elles constituent le noyau
irréductible des nations protestantes. La Contre-Réforme
française doit à un Tiers État déjà sûr de lui son caractère
à la fois abstrait et organisateur, raisonneur et tendu, chari-
table et rogue ; soucieux de former des prêtres, nos juristes
opposeraient volontiers des initiatives laïques à un trop
strict encadrement clérical ; fous à leurs heures de poésie
païenne et de roman, ils n'admettent pas facilement dans
leur vie spirituelle la spontanéité et la fantaisie...
Il est tentant de placer, en regard de cette société qui, dans
une relative austérité, prépare la nôtre, un monde auquel
la hiérarchie féodale sert encore d'armature et où la hiérarchie ecclésiastique, souvent confondue avec elle, a conservé,

ou retrouvé, tous ses pouvoirs. Victor-L. Tapié l'a fait, avec toute la prudence requise de l'historien, et a associé, en des pages convaincantes, les vastes programmes de construction et les décorations fastueuses aux moyens quasi illimités d'une aristocratie que les troubles et la politique, ou l'absence de politique, de la Maison d'Autriche, ont consolidée et enrichie. L'économie de « l'autre Europe » repose avant tout sur l'exploitation des grands domaines, que le seigneur soit d'épée ou d'Église. Les activités proprement urbaines n'y pèsent plus que d'un faible poids, même en Italie. La splendeur un peu anarchique des « villes baroques » apparaît en dernière analyse comme une manifestation supplémentaire d'opulence terrienne. C'est grâce aux revenus des fiefs reçus après la Montagne Blanche que les grandes familles catholiques construisent les palais de Mala Strana, face à la vieille Prague bourgeoise, hussite et protestante. *L'Europe des Capitales* où, selon L. Mumford et G. C. Argan, le souverain rassemble son administration dans des cités géométriques, et fait défiler, le long des « Perspectives », les coûteuses armées qui témoignent de sa puissance, ne coïncide nullement avec ce que nous appelons l'Europe baroque, du moins avant le xviiie siècle. La « capitale », chez les Habsbourg, ne symbolise pas la centralisation ; elle groupe autour du palais du roi ou de l'Empereur, *primus inter pares*, les représentations ostentatoires des potentats régionaux. Dans le « magnat » d'Europe Centrale s'incarne avec éclat la périlleuse et féconde ambiguïté de cette société : contre sa fabuleuse richesse, contre le pouvoir absolu qu'il exerce sur une paysannerie aux horizons limités, se brise toute tentative d'unification à la française ; mais par la multiplicité de ses possessions, son mépris des frontières, son « cosmopolitisme » avant la lettre, il constitue, dans ces anti-nations que sont le Saint-Empire et le conglomérat « autrichien », un irremplaçable facteur de cohésion. Le clan des Schönborn, qui de 1650 à 1750 exerce dans « l'Allemagne moyenne » catholique, de Trèves à Bamberg, une influence déterminante, représente les particularismes rhénan et franconien, mais aussi, contre Louis XIV ou contre Frédéric II, le loyalisme impérial et la fidélité romaine.

▶ *L'Europe du Concile et de la Curie*

L'unité religieuse sera moins équivoque.

Le Baroque, a-t-on répété, procède de la Contre-Réforme. Rectifions : l'univers spirituel habsbourgeois est né d'*une certaine conception* de la Contre-Réforme. Plusieurs catholicismes pouvaient sortir du Concile de Trente, la France l'a prouvé. Sur les canons tridentins, bien que Philippe II ne les approuve pas tous et que l'empereur Ferdinand ait plutôt gêné les travaux conciliaires, la Maison d'Autriche fonde un rigide conservatisme. Décrets disciplinaires et décrets dogmatiques, « reçus » avec la même déférence, cimentent un bloc pour l'intégrité duquel on ne cessera plus de trembler. La moitié de l'Europe, en 1564, vire à l'inconditionnel.

Adhésion massive au Concile, plus originale et déterminante dans sa forme, sans doute, que dans son contenu. Adhésion, surtout, à l'interprétation que vont en donner les papes et leur entourage. Ou plutôt *aux interprétations* : la sévère morale de saint Charles Borromée, la doctrine férocement répressive héritée de Paul IV, le pape de l'*Index*, seront adoucies par la génération de la fin du siècle et c'est précisément, nous le verrons, à la faveur de cette période des Cent Fleurs que bourgeonneront les arts du Seicento. L'aspect le plus durable du tridentinisme intégral ressortit en définitive à la politique. « L'autre Europe », séparée de la France, sur ce point, par un abîme, sera ultramontaine. Non que les cours de Madrid et de Vienne agissent toujours en parfaite harmonie avec Rome. Un archevêque de Mayence, à l'occasion, se dressera contre un nonce. Mais il s'agit de conflits épisodiques, provoqués souvent par l'initiative anachronique d'un pape qui rêve de Grégoire VII. A aucun moment l'Église germanique ou l'Église espagnole ne se proclame autonome comme l'Église de Louis XIV. Communauté ressentie et entretenue, éminemment favorable aux échanges d'artistes, de plans, de schèmes iconographiques. A l'origine l'Espagne y diffusera ses dévotions, son goût bien connu des Images; elle a d'ailleurs fortement inspiré le Concile. Ses théologiens peuplent à la fin du

xvie siècle les universités allemandes et s'efforcent, en rajeu-
nissant tant bien que mal saint Thomas, d'élaborer pour
la catholicité restaurée et militante une *koïnè* philosophique.
La Flandre, un peu plus tard, exportera ses gravures jusqu'au
Guadalquivir et ses architectes jusqu'à la Vistule. Puis, de
génération en génération, se répercuteront, des Andes au
Niémen, et au-delà, les découvertes italiennes. Enfin, au
xviiie siècle, le centre de gravité se déplacera vers le nord;
l'art danubien rayonnera en pays slave, au Portugal,
peut-être au Brésil, et l'on percevra son influence en
Italie. La mort de l'Occident baroque coïncide avec la
fermeture des frontières, l'essai de « gallicanisation » des
royaumes ibériques, et la décision joséphiste de cloi-
sonner l'Église.

▶ *L'Europe des moines*

Europe unanime, Europe de la Curie, Europe des moines.
Le Concile les a aidés à se réformer, a invité les Ordres
décentralisés, comme les Bénédictins, à constituer, en face
d'un épiscopat enclin à un relatif nationalisme, de puissantes *congrégations* régionales. En Allemagne, les grandes
abbayes se battent énergiquement pour l'*immédiateté* et
l'*exemption*, pour l'indépendance temporelle et spirituelle.
90 000 moines prospèrent dans l'Espagne de Philippe IV,
à côté d'une monarchie languissante, et lui enlèvent le
monopole du mécénat. Au premier rang de ces milices
ultramontaines brillent les Jésuites. Vers 1615, soixante-
quinze ans après la fondation, ils sont plus de 13 000 et
gouvernent 500 maisons. Il faut essayer de définir leur rôle
en évitant les exagérations polémiques. La Compagnie,
fait désormais acquis, n'a en aucune façon diffusé un
« style ». L'architecture religieuse du xviie et du xviiie siècles
est bien davantage sans doute, du moins en Europe, l'œuvre
des Ordres plus anciens, mieux implantés, mieux pourvus
de terres, ou d'un Ordre fondé quelques années avant celui
de saint Ignace, les Théatins. Mais les Jésuites ont fortement
contribué à fixer l'attitude de tout un monde vis-à-vis de
Dieu, de la morale, de la culture. Ils lui ont, pour le meilleur
et pour le pire, donné son âme.

▶ *L'Europe des pédagogues et des directeurs de conscience*

L'empreinte des Jésuites restera sur la France : elle a bien
failli rester sur la Chine ! Mais en France ils ont des concur-
rents, de stimulants partenaires. Ailleurs, là où ne s'élève
pas la voix de Pascal, ils se gardent de provoquer un dialogue.
Dans les pays qui ignorent l'enseignement oratorien et celui
des Petites Écoles de Port-Royal, les spéculations scienti-
fiques des Minimes et l'inertie ambiguë de la Sorbonne, que
ne tentent vraiment ni le jansénisme ni le libertinage, qui ne
produiront ni Descartes, ni Spinoza, ni Newton, ils se feront
peu à peu les complices du silence. Bon nombre d'entre
eux, dans les années 1620-1630, accableront Galilée. Si
l'Italie des fanfares baroques est une Italie muette, si,
vers le milieu du siècle, les sciences exactes, désertant la
terre de l'Humanisme, ont fui chez les Barbares, à Paris,
à Amsterdam et à Londres, ils en portent en grande partie
la responsabilité. Leurs confesseurs chassent des consciences
l'inquiétude. Leur riante pédagogie, parée de toutes les
séductions des « méthodes audio-visuelles » d'alors, de tous
les prestiges de l'efficacité « moderne », confère une irré-
sistible force de diffusion à quelques-uns des principes
négatifs et « réactionnaires » de la Contre-Réforme
étroite.

Mais les collèges jésuites, s'ils demeurent jusqu'en pleine
Aufklärung les bastions de l'incuriosité posttridentine,
rendent d'autre part la catholicité nouvelle merveilleuse-
ment propre à accueillir certaines formes d'art. Dans la
mesure, d'abord, où ils sauvent une partie de l'Antiquité
et des acquisitions de la Renaissance. Insidieux propaga-
teur du catéchisme borroméen, leur enseignement légalise
en même temps, à défaut de l'audace investigatrice de
l'Humanisme, son goût de la Fable et de la Forme. Surtout,
il réinsère le chrétien dans le Siècle, et non pas seulement par
politique, et comme pour faire plus aisément admettre, en
contrepartie, l'intégrité du dogme ; la métaphysique a perdu
Luther, les jansénistes commettront le péché d'abstraction :
il faut privilégier cette donnée éminemment contrôlable,
les œuvres ; la vie terrestre est un exil, mais ses limitations

mêmes constituent de relatives garanties de sécurité. Leurres assurément que les marbres, les stucs et les toiles peintes – mais aussi garde-fou. Saint Ignace a donné un exemple décisif en introduisant le concret au cœur de la méditation, en invitant ses disciples à *composer* très précisément en imagination *le lieu* de leurs rencontres mystiques avec le Christ. A l'intention des moins doués, il fera publier des recueils de gravures. Émile Mâle, si attentif pourtant à montrer l'homogénéité de l'iconographie de la Contre-Réforme, ne peut se dispenser d'opposer cette spiritualité « visualisée » aux procédés de l'école française, et en particulier de Bérulle. « Soyons intérieurement Jésus-Christ, écrit le P. de Condren, et n'ayons de l'humanité que les apparences... » Les *Exercices spirituels* au contraire : « Considérer le chemin de Béthanie à Jérusalem : est-il large, étroit, en plaine ? » L'esprit ne doit pas divaguer. Les historiens ont beaucoup insisté sur le propos moralisant des arts du Seicento. C'est s'en tenir à la facile étude des thèmes. Les principaux directeurs de la conscience baroque semblent guidés par des considérations plus fondamentales : tout art, dans sa soumission même à un donné méprisable, pose le principe d'une discipline salutaire. On s'est vite éloigné, il est vrai, des austères images tracées sous la dictée de saint Ignace. Mais sans doute ses successeurs continuèrent-ils à discerner, dans le recours, nuancé ou éperdu, à l'éphémère, et dans l'élaboration de ce décor que l'on qualifiera plus tard de « triomphaliste », plus de modestie que dans le dénuement de Pascal.

D'autant que les artistes relevant de leur obédience répéteront sous mille formes l'aveu auquel s'étaient refusés ceux de la Renaissance : il n'y a pas d'Homme en soi. Le chemin de chacun de nous a ses caractéristiques précises, comme le chemin de Béthanie. Voici l'humanité, pour la joie du sculpteur et du peintre, dissoute en un grouillement de libertés individuelles. Chaque homme a sa manière personnelle de faire jouer dans la lumière la dentelle de son jabot et la moire de son camail, a son aventure et sa grimace. Le grand siècle des éducateurs et des casuistes ouvre à l'art d'infinies possibilités et lui tend deux pièges mortels en inventant le pittoresque, et, pire encore, la psychologie...

Reste Dieu. L'Homme désacralisé, l'âme monnayée en
sentiments, en « passions », la Nature dans une certaine
mesure laïcisée, les manifestations du surnaturel deviennent
par contraste plus spectaculaires et plus directement per-
suasives. Le divin a cessé d'être une immanence, ou le
double mystérieux du monde, ou son lointain paradigme,
perceptible seulement aux regards des doctes ou des pré-
destinés ; il prend, pour briser l'orgueil du magnat et
l'anxieuse solitude du serf, la forme d'une explosion, d'une
irruption. La lumière incréée ne baigne plus les créatures,
elle les frappe, les éblouit et les transperce. L'Europe bourgeoise prend respectueusement son parti de l'éloignement de
Dieu, en attendant que cette résignation devienne sardo-
nique. *L'autre Europe* fonde sur la Transcendance même une
pédagogie. Que l'absence de Dieu serve à Sa gloire. Il faut
multiplier Ses *apparitions* et les rendre inoubliables ; il faut,
par une démarche qui n'est contradictoire qu'en apparence,
Le restituer à tous en faisant Son approche plus
solennelle.

PL. III – BORROMINI. Saint-Yves-de-la-Sapience. ▶

CHAPITRE PREMIER

LE SEICENTO

1 | Paul V et Grégoire XV : Rome renaît

La mort de Philippe II, à défaut d'une pleine indépendance
politique, rend à Rome sa position prééminente au sein de
la catholicité. Le redressement de la seconde moitié du
XVIe siècle porte ses fruits. Rome triomphante ? Non,
puisque, nous l'avons vu, l'hérésie, solidement implantée,
admise bon gré mal gré, commence à traiter d'égale à égale
avec l'orthodoxie. Mais Rome soulagée, après avoir craint
le pire. Rome, surtout, qui a retrouvé bonne et calme
conscience, qui a renoncé à combattre les Réformés avec
leurs propres armes, et qui n'a plus honte d'une personnalité
pittoresque et d'un héritage composite.

Rome qui retourne à ses saints. Paul IV, en qui s'incarnait
en 1555 une Contre-Réforme passablement iconoclaste,
avait voulu disperser les compromettants fantômes de la
Légende dorée. Dès 1588, Sixte Quint, le grand pape de la
seconde génération tridentine, rend la parole aux hagio-
graphes. On remet en honneur les fêtes anciennes, en particulier celles de la Vierge. Baronius enrôle de confiance ces
légions de martyrs que décimera la critique française du
XVIIe siècle. Paul V canonise en 1610 Charles Borromée,
évêque ascète, interprète du Concile et réorganisateur du
gouvernement pontifical. Grégoire XV confirme avec éclat
le retour aux traditions, de 1621 à 1623, en instituant la
fête de saint Joseph, en généralisant celle de saint Bruno,

et surtout en groupant dans une canonisation synthétique
Thérèse d'Avila, Philippe de Neri, Ignace de Loyola et
François Xavier, et le laboureur Isidore.
Providence pour l'art que cette systématique consécration
de destinées spectaculaires. Mais le « révisionnisme »
infléchit également l'attitude de l'Église vis-à-vis des arts
profanes. Sixte Quint a repris, avec plus d'énergie qu'aucun
de ses prédécesseurs, l'urbanisation de Rome. Ses longues
avenues doivent faciliter la circulation des pèlerins en des-
servant les vieilles basiliques, mais les perspectives qu'elles
ouvrent sont scellées par des obélisques empruntés à la
Rome païenne. Dans les toutes dernières années du xvıe siècle
un milieu se constitue, autour des Farnèse et des Borghèse
notamment, qui veut, sans rien sacrifier des dévotions retrou-
vées et renouvelées, renouer aussi avec les siècles d'Auguste
et de Léon X, favoriser l'établissement d'une doctrine artistique, et encourager, ne serait-ce que pour « purifier » la
peinture religieuse, le développement d'une peinture d'esprit
entièrement laïque.

▶ *Les Carrache*

Et voici que, comme cent ans plus tôt, les artistes accourent
à Rome. En attendant les Flamands, les Allemands, puis
les Français, la bouillonnante Italie du Nord fournit le
contingent principal. En 1595 arrive un Bolonais de 35 ans,
frère et cousin de peintres connus, Annibal Carrache.
Intervention ambiguë et décisive. L'entreprise des Carrache,
écrit A. Chastel, « doit être jugée dans la perspective du
maniérisme dont elle est... l'aboutissement, la clarification,
et par suite l'extinction ». En un sens, Annibal assassine la
peinture. Dans son atelier naissent, stérilisant la recherche,
l'obsession de la « mesure », le culte intolérant pour une
collection de types et de moyennes érigée en *nature*, l'adresse
à tirer de l'*Antique* un code de bonnes manières. En laissant
des « intellectuels » comme Mgr Agucchi guider sa main,
il compromet son art, pour plus de 200 ans, avec le com-
mentaire et la narration. Il importe à Rome un peu du colorisme vénitien, mais l'enferme souvent dans le carcan d'une
composition raphaëlisante. En revanche, il confère à la

peinture, mieux qu'aucun autre, un attribut sociologique-
ment précieux, la dignité. La peinture, grâce aux fresques
du palais Farnèse, redevient sous les yeux de l'Europe un
grand art, l'expression de la plus haute culture, et l'indispensable complément de l'architecture princière. Elle
reprend place dans une continuité qui garantit sa noblesse.
Annibal récupère la monumentalité et annexe au patrimoine commun un peu de l'héroïsme que Michel-Ange
avait rendu suspect. Il édulcore l'épopée, mais la rend
assimilable. Il distribue largement la monnaie de la Sixtine.

▶ *Le Caravage*

A Rome encore éclate, aux environs de 1600, le scandale du
Caravage. Le raffinement maniériste ne se noie plus, cette
fois, dans un « classicisme » apaisant et discursif, il est foulé
aux pieds. « La peinture » est encore niée au profit de « la
nature », mais elle surgit aussitôt, magnifique, provocante,
sous une nouvelle forme. Car, parmi les legs du Caravage,
figurent, bien sûr, la « réalité », l'objet dans sa massive et
pesante évidence, l'homme délivré du *contrapposto*, des
compositions en diagonale ou en spirale, du hiératisme symbolique et du ballet, mais aussi un monde redéfini, souverainement transposé, en termes de lumière et de ténèbre ;
la nuit se met au service du drame, aussi dédaigneuse de
l'illusionnisme que le fond d'or des Primitifs, la lumière
s'affirme comme signe et comme instrument. Évangile des
Pauvres, a-t-on dit, sous prétexte que la Vierge et saint Mat-
thieu ressemblent enfin à des pauvres. En fait, Évangile,
tout autant, de « l'avant-garde » : le prêche élégant des Bolonais, en dépit du noble personnel qu'il met souvent en scène,
répond sans doute davantage aux aspirations populaires.
Évangile des artistes, qui lui feront, dès les années 1610-
1620, un extraordinaire succès et qui, l'ouragan passé,
n'oublieront pas la maniabilité et l'efficacité des projecteurs
luministes.

▶ *L'architecture ; Maderno*

En architecture, point encore de révolution. Rome se
couvre d'églises neuves, dédiées aux nouveaux saints ou

commandées par les nouveaux ordres, Philippins (*Santa-Maria in Valicella*, achevée en 1606), Théatins (*Sant' Andrea della Valle*, entreprise en 1608), Jésuites (*Saint-Ignace*, 1626). Mais il ne s'agit que de variations sur la triade basilicale, ou sur la nef unique bordée de chapelles dont le *Gesù* de Vignole a fait, en 1568, le parti posttridentin par excellence. L'achèvement de *Saint-Pierre* en 1612 a surtout une valeur symbolique. En construisant deux travées devant l'édifice centré de Michel-Ange, Carlo Maderno ne fait que consacrer avec une particulière solennité le retour à la croix latine médiévale. Il se trouve toutefois conduit, de la sorte, à une innovation lourde de conséquences : la façade, éloignée de la coupole, cesse de lui être subordonnée, et prend figure de monument autonome. Sans doute les justifications fonctionnelles ne manquent-elles pas : la basilique a besoin d'une sorte d'antéglise, avec un étage praticable pour la loge de la bénédiction. Mais à *Sainte-Suzanne* la monumentalité de la façade procède d'aspirations essentiellement esthétiques. Maderno répudie l'inorganique rideau tendu par Giacomo della Porta devant le *Gesù*, et son refus rejoint celui du Caravage : le docile support des combinaisons linéaires du maniérisme disparaît. La pierre recommence à perturber l'espace, à capter le soleil et à projeter des ombres. Un style cherche à naître entre ces colonnes qui supportent un entablement à la fois inutile et incontestable, pur symbole de majesté, et plus nécessaire pourtant que le balcon des apparitions pontificales, entre ces pilastres qui ne strient pas le mur mais l'effacent, parmi cette membrure serrée et hiérarchisée.

2 | l'architecture romaine sous Urbain VIII Innocent X et Alexandre VII

Lorsqu'en 1623 le cardinal Barberini devient le pape Urbain VIII, il peut sans excessif orgueil se comparer à ses prédécesseurs du début du XVIᵉ siècle : Rome vit une seconde Renaissance; elle va, sous l'impulsion d'un mécène très conscient, d'un pontife très fidèle à l'orthodoxie conciliaire,

mais très attaché à ses prérogatives et à son prestige tem-
porels, élaborer une conception moderne de la grandeur qui
conquerra une partie des terres chrétiennes.

▶ *Le Bernin et Pierre de Cortone*

Urbain VIII désigne très vite celui qui donnera forme à ses
desseins : c'est un sculpteur napolitain de 25 ans, qui jusqu'ici a surtout livré de jolis marbres mythologiques au
cardinal Borghèse, Gianlorenzo Bernini. Il lui commande
d'emblée le Baldaquin de *Saint-Pierre* ; en 1629, à la mort
de Maderno, il le nommera architecte de la basilique, à
charge d'en reprendre en totalité la décoration intérieure, et
lui confiera, à l'autre extrémité de la Ville, l'achèvement du
palais familial. Moins apprécié d'Innocent X (1644-1655),
de nouveau tout-puissant sous Alexandre VII (1655-1667),
le Bernin restera pendant une cinquantaine d'années
l'ordonnateur des pompes vaticanes et, de ce fait, le premier
artiste de la catholicité. A côté de lui un peintre-architecte
à peu près exactement contemporain, Pierre de Cortone,
entre au service des Barberini ; moins « officiel », plus discuté,
il préside pourtant dès 1634 – à 38 ans – l'Académie de
Saint-Luc. Moins universellement doué et moins familier
du gigantesque, il semble introduire dans la Rome massive
du Seicento un discret sourire, une sorte de grâce helléni-
sante, une poétique de la colonne qui évoque plus directement l'Italie du Nord et Palladio que le Forum et le
Panthéon.

En liquidant définitivement le fonctionnalisme sans imagination de la Contre-Réforme et l'arabesque sans chaleur
du maniérisme, les deux hommes achèvent, certes, l'œuvre
des pontificats précédents. La densité, la solennité du Baldaquin viennent, en un sens, de Maderno, et il y a de
l'Annibal Carrache dans les fresques de Cortone. Mais il
se produit aussi une rupture. Ces deux catholiques irrépro-
chables sont hantés par de tout autres images que le prudent
allongeur de nefs de Paul V. Leur Ville est celle de Pierre,
mais celle aussi de César, telle que la rêvait le Cinquecento.
Le Bernin et Cortone *architectes* paraissent, avec le recul, d'un
étonnant « classicisme ». Sans doute leurs églises intimes,

réservées à l'oraison de petites communautés, répondent-
elles à d'autres exigences, de toute manière, que les salles
d'assemblée, que les « églises de la parole » construites autour
de 1600, au temps de la polémique et de la reprise en main.
Mais il y a en outre dans leur goût du plan centré une
sensible réaction formaliste, un désir d'instituer, en marge
des consignes ecclésiastiques, une réflexion indépendante
sur la géométrie et sur l'espace. C'est Cortone qui, en 1635,

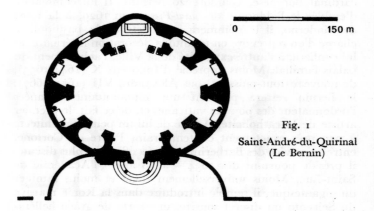

0   150 m

Fig. 1
Saint-André-du-Quirinal
(Le Bernin)

donne le signal avec ce manifeste anti-*Gesù*, la parfaite croix
grecque de *Saint-Luc-et-Sainte-Martine*, église de l'Académie
de Saint-Luc, église des hommes de l'art. Le Bernin conclura
et schématisera, vers 1660, avec les trois seules églises qu'il
ait eu l'occasion de construire entièrement, le carré de
Saint-Thomas-de-Villanova à Castelgandolfo, le cercle de
l'*Assomption* d'Ariccia, et l'ovale *transversal*, équilibré, stabi-
lisé, de *Saint-André-du-Quirinal*. *Saint-André* répond à une
commande de la Compagnie. Mais il ne s'agit plus de séduire
les foules, comme au *Gesù* ou à *Saint-Ignace*, mais de fournir
un lieu de prière et de méditation aux *happy few* du
Noviciat (v. PL. II).
Seulement – et l'innovation, ici, cesse de se confondre avec
une « renaissance » – ces murs, dont le tracé sur le papier

ressuscite les géométries antiques et semble inviter au sage
recueillement plutôt qu'à l'élan et à l'inquiétude, sont immé-
tiatement, et de plusieurs manières, annulés ou contredits.
L'espace intérieur de *Saint-Luc-et-Sainte-Martine* ne comporte
pas de clôture brutale; une frange de niches et de colonnes,

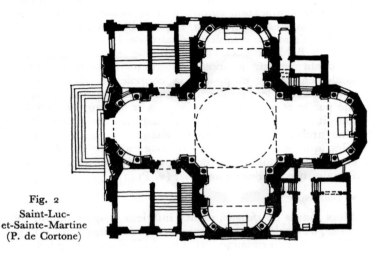

Fig. 2
Saint-Luc-
et-Sainte-Martine
(P. de Cortone)

de lumière et d'ombre douces, tremble sur ses bords. Ce qui
subsiste du mur n'a chaque fois que la largeur d'un pilastre.
La colonne inutile inventée par Michel-Ange, signe de
noblesse sévère à la façade de *Sainte-Suzanne*, crée ici une
incertitude, une fluidité. A *Saint-André-du-Quirinal*, troisième
interprétation de la colonne : le portique qui encadre l'entrée
du chœur minuscule oriente tout l'édifice, appelle invinciblé-
ment vers le maître-autel, en dépit de la *largeur* de la nef,
de son épanouissement vers la droite et la gauche, le regard
et la ferveur. Entre les colonnes rouges à chapiteaux blancs
resplendit, brutalement éclairée par une invisible coupolette,
une Gloire dorée. Au-dessus de la nef, deux tribus d'anges
s'étagent parmi les nervures et les caissons dorés de la
coupole, et en accélèrent la montée vers le ciel. Loin de la

blancheur ou de la grisaille de P. de Cortone, le Bernin invente ces instables églises de couleurs vives et de trajectoires séraphiques, de lumière orientée, de mouvements et de rapports qui ne coïncident pas avec leur enveloppe de pierre...

C'est dans cette perspective que le Baldaquin du Vatican trouve sa signification définitive et sa formidable puissance de rayonnement. Lorsqu'en 1656 le Bernin dresse contre l'abside l'énorme retable-reliquaire de la *Chaire de Saint-Pierre*, le Baldaquin cesse d'accentuer le centre de la croisée, de confirmer sur le mode pittoresque, tourmenté, mais finalement stable et pesant, la coupole de Michel-Ange, pour devenir le premier chaînon d'un système optique. Lié par le regard, dès l'entrée dans la nef, au *fond* que lui fournit la *Chaire*, il jalonne maintenant un axe longitudinal. Une architecture équivoque s'ébauche entre les lourdes piles, qui renforce la structure longitudinale de Maderno et, avec la complicité du Bernin *sculpteur*, contredit les rêves Renaissance du Bernin *architecte* (v. PL. I).

▶ *Borromini*

Murs rongés de *sfumato*, espace intérieur coagulé autour de gestes, de « colonnes salomoniques » et de coups d'aile – l'architecture néo-romaine est jusqu'ici, dans ce qu'elle a d'original, œuvre de peintre et de sculpteur. Mais l'architecte intégral de la génération, Francesco Borromini, né en 1599 au bord d'un lac alpin comme tant de manieurs de brique et de pierre, s'échappe en 1632 des chantiers du Bernin et construit deux ans plus tard, pour un minuscule couvent du Quirinal, la nef et le cloître de *Saint-Charles-aux-Quatre-Fontaines*. En 1642, il dote l'Université de Rome de son église, *Saint-Yves-de-la-Sapience*, et travaille pour les Philippins (oratoire et couvent de *Saint-Philippe-de-Neri*). Sous Innocent X, la position de ce révolutionnaire silencieux devient officielle; il « modernise » *Saint-Jean-de-Latran*, enlève aux Rainaldi père et fils la direction des travaux de *Sainte-Agnès*, bâtit la coupole et le campanile de *Sant'Andrea delle Fratte*. Après 1660, il ajoute une façade à son *Saint-Charles*, et termine le palais de la *Propagation de la Foi*.

PL. v – A. Pozzo. *L'œuvre missionnaire des Jésuites.* ▶

En un sens, Borromini participe à la réaction « centralisante » de son temps. Chargé de continuer *Sainte-Agnès*, il
rend plus parfaite encore, plus statique, la croix grecque
dessinée par ses prédécesseurs. Mais lorsqu'il crée, il ne
se rattache plus à aucune tradition. Il ne traite pas la géométrie comme un répertoire, mais comme une méthode
d'investigation. Au cœur de ses spéculations, une figure
faussement symétrique, le triangle. Dans la courbe il ne
voit pas un segment de cercle, et donc la promesse d'un
équilibre, d'une conclusion, mais l'annonce d'une contre-
courbe, c'est-à-dire la destruction irrémédiable du cercle
et même du compromis berninesque, l'ellipse. Le plan de
Saint-Charles a subi une évolution révélatrice : il consistait
d'abord en un ovale. Mais Borromini détruit ce rassurant
contour en interpolant quatre renflements tournés dans le
mauvais sens, dos vers l'intérieur de l'église. Deux d'entre
eux encadrent la porte, deux l'abside. Il naît ainsi une sorte
de losange entièrement curviligne. En coiffant d'une coupole
elliptique, sans tambour, ce volume indéfinissable, et la
colonnade disproportionnée qui en scande les parois,
Borromini inaugure la série des contradictions entre étages
et des distorsions de pendentifs en quoi se complaira la
branche savante de la nouvelle architecture.
Il n'y a plus aucune réminiscence, même vouée au démenti,
à l'origine de *Saint-Yves*. Deux triangles se croisent, déter-
minant une nef hexagonale et six pointes alternativement
creusées en absidioles et « bouchées » par des pans de mur
convexes. Édifice centré, mais formé de moitiés asymétriques.
Édifice d'un seul élan, du sol à la lanterne, à l'inverse de
Saint-Charles. L'entablement qui court entre la nef et la
coupole sangle le mur et en souligne les ressauts au lieu de
marquer une césure horizontale. Le mur à lui tout seul
sécrète, sans l'aide des ordres, ses proportions et son rythme.
Ses palpitations mêmes dessinent une ossature. Vitruve
congédié, Borromini évite d'autre part toute allusion aux
impures techniques du Bernin. Les anges redeviennent
symboles. Réduits à la tête et aux six ailes figées des vieux
textes mystiques, ils se refusent aux compromissions spatiales.
Saint-Yves, c'est un plan fait, d'un seul coup, matériau, un

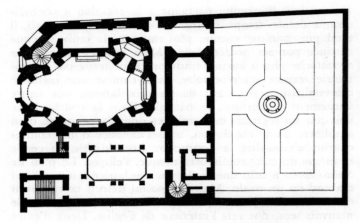

Fig. 3 – Saint-Charles-aux-Quatre-Fontaines (Borromini)

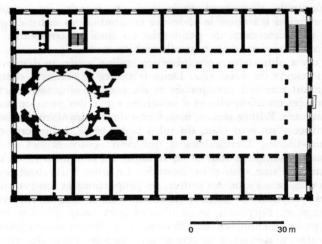

0   30 m

Fig. 4 – Saint-Yves-de-la-Sapience (Borromini)

concept pétrifié. Hommage, sans doute, à la Trinité, mais non aux trois Personnes que nous verrons *représentées*, par exemple, dans les retables allemands. L'Incompréhensible ne saurait prendre forme plastique. La Trinité, ici, demeure mystère, interrogation sans issue, comme ce mur à rythme ternaire qui ne guide le fidèle vers aucun Orient, mais où, indéfiniment, deux pleins encadrent un vide, ou deux vides un plein (v. PL. III).

Le tambour qui manque à l'intérieur de l'église, nous avons la surprise de le retrouver à l'extérieur. Borromini a enfoui sa coupole dans un faux tambour qui fournit un premier étage convexe à une façade dressée au fond d'un *cortile* concave. L'entrelacement des thèmes numériques, le jeu des courbes contradictoires, se poursuivent à la lanterne où un fronton allégé par six encoches supporte ce modèle d'asymétrie, une spirale à triple révolution.

▶ *Façades d'églises romaines*

La monumentalisation de la façade madernienne résultait en grande partie de la réhabilitation de la nef longue, mais le goût des trois maîtres du Seicento pour les figures centrées ne provoque en ce domaine aucun retour en arrière. Tout au contraire, la personnalité de la façade romaine s'affirme en divers sens. Non point vaine ostentation, mais conséquence logique d'une situation concrète : l'ovale, la croix grecque aux extrémités arrondies, ne font qu'effleurer la rue ou la place, et il faut développer, magnifier, ce point de tangence. Sinon, l'église resterait enfouie dans la masse urbaine, ou au moins dans un complexe utilitaire, dans une grappe de sacristies, dans le bloc d'un couvent. Les églises du milieu du siècle cachent souvent leur abside et leurs flancs, et la façade est leur seule manifestation extérieure. Compensation à l'exiguïté des terrains et camouflage, non du sanctuaire, mais des locaux fonctionnels qui précisément en interdisent déjà la vue.

P. de Cortone garde les deux étages de la façade de *Sainte-Suzanne*, mais non la structure en pyramide : à *Saint-Luc-et-Sainte-Martine*, le rez-de-chaussée n'est pas plus large, et est à peine plus accentué, que la partie supérieure; les dix fortes lignes verticales, colonnes et pilastres, se prolongent du sol au fronton et c'est une légère ondulation, non une hiérarchisation, qui anime l'ensemble. A *Santa-Maria in Via Lata* (1658), deux portiques superposés, où passe comme un écho des décors vicentins, forment un gracieux narthex. A *Sainte-Marie-de-la-Paix*, deux ans plus tôt, Cortone avait innové davantage : le rez-de-chaussée en demi-rotonde envahissait le parvis. La façade transfigurait un modeste lieu de culte, un sanctuaire de quartier, et l'élevait à l'échelle de la Ville; elle ordonnait, autour de lui, tout un décor. Travail d'urbaniste (v. PL. VII). Et tel est bien également le sens de la réussite de *Sainte-Agnès* : en dessinant un large front concave, en associant organiquement le dôme de la croisée aux deux tours venues des façades nordiques, Borromini rachète les inconvénients d'une croix grecque que l'on ne peut, ou que l'on ne veut, utiliser en tant que volume extérieur. Il pose en même temps, à mi-longueur de l'immense place Navone, un accent qui la transforme de façon décisive, et donne un modèle d'organisation de l'espace urbain qui se répandra beaucoup plus vite hors de Rome que ses recherches sur la triangulation des nefs (v. PL. IV).

Après le chef-d'œuvre d'ampleur, le chef-d'œuvre de tension : la façade tardive de *Saint-Charles-aux-Quatre-Fontaines* (1665) où Borromini transpose sur le mode crispé l'allègre ondulation de l'intérieur de la nef. Ultime avatar de la colonne, qui ne donne plus l'impression d'être en saillie, mais de s'enfoncer dans un tissu vivant, douloureux, convulsé.

▶ *Architecture civile*

C'est sur les façades civiles que le Bernin a mis sa marque. Au *palais Ludovisi*, en 1650, et surtout au *palais Chigi*, en 1664, il réunit les éléments de ce qui sera le « palais baroque » européen, ou au moins de l'un de ses organes essentiels, de la façade qui proclame devant les citadins la puissance d'un Grand. Sa démarche est parallèle à celle de Maderno, ses intentions analogues à celles des inventeurs de façades sacrées. Il s'agit de définir les signes de la noblesse, et d'isoler un édifice, en dépit de toutes les mitoyennetés, d'une masse architecturale mal différenciée. Il s'agit, plus précisément, de substituer une articulation à une juxtaposition, une prosodie, une alternance de temps forts et de temps faibles, à un jeu de proportions. Le centre de la composition dictera désormais sa loi, et non plus les contours. La nécessité ne jaillira plus d'un rapport entre des limites, mais de la hiérarchisation des membres. Le Bernin renforce la partie médiane et alourdit encore le traditionnel *piano nobile*. Il fait saillir le pavillon central entre deux ailes subordonnées et annule le rez-de-chaussée en le transformant en une sorte de socle. Le rez-de-chaussée est perdu pour l'art; il *supporte*, il est une *utilité*. Mal dégagé du roc, il évoque parfois la « grossièreté » des œuvres de la Nature. Le premier étage en revanche se dilate vers le haut, annexe l'étage supérieur, grâce aux pilastres colossaux. Tel est le langage que le Bernin s'efforcera de faire entendre aux Français, en 1665, dans les fameux projets inexécutés pour le Louvre, et surtout dans le second. Peu importe qu'il y ait ou non des pavillons d'angle, qu'une concavité rappelle ici ou là la façade de *Sainte-Agnès*. Ce qui compte, c'est que le « palais baroque » se définit pour 150 ans comme une symétrie passionnée, se présente comme une falaise striée verticalement, et dressée à plusieurs mètres au-dessus des têtes.

Création d'architecte, au sens où nous l'entendons maintenant, ou de remodeleur de cités ? Le chef-d'œuvre du Bernin, on le sait, plutôt que *Saint-André-du-Quirinal* ou le *palais Chigi*, c'est Rome. Non qu'il ait cherché à substituer un tracé *a priori* au lacis médiéval; il s'est bien gardé, même, de tailler dans Rome de larges places indifférentes à l'environnement comme la Place Royale ou telle Plaza Mayor d'Espagne. Il a transfiguré les places existantes, simples « vides » fortuits, irréguliers parfois, en leur donnant un centre, *Fontaine du Triton* de la place Barberini, Éléphant à l'obélisque de la Place Santa-Maria sopra Minerva, *Fontaine des Fleuves* de la Place Navone. Ainsi qu'au *palais Chigi*, tout part désormais du centre, s'organise autour de lui, en répercute le rythme. La place du Seicento n'est pas à Rome une lacune dans le tissu urbain, un répit, une pause, elle est construction encore, elle participe d'une création aussi équivoque, mais

aussi positive que le Baldaquin. Une architecture de mouvements virtuels et de rapports optiques y cristallise comme à
l'intérieur des églises, réduisant le cas échéant l'architecture
proprement dite à un rôle de figuration : témoins les deux
églises jumelles de la Place du Peuple, *Sainte-Marie-de-la-
Montagne-Sainte* et *Sainte-Marie-des-Miracles*, à la construction desquelles le Bernin a contribué avec Rainaldi, et
qui ont pour principale fonction de répondre à l'obélisque
central de Sixte Quint, de l'aider à *déterminer* la place sans
l'enclore (1662-1679). Témoin surtout la *Colonnade* de Saint-
Pierre (1657), le génial pointillé qui donne au plus vaste
parvis du monde, à l'*atrium* de la Nouvelle Catholicité,
une forme, non une limite. Miracle, une fois de plus, de la
colonne, qui ne joue plus avec un mur, mais avec elle-même,
et avec le ciel. Couloir d'ombre autour de la place enso-
leillée – selon la tradition méditerranéenne du portique – et
en même temps papillotement lumineux flanquant et en-
chantant la marche vers le sanctuaire. Suprême expression
de la majesté réinventée par Michel-Ange et réduction de
l'architecture à une pure transparence...

▶ *Architectes mineurs*

La leçon du Seicento romain ne se confondra pas, au
demeurant, avec celles du Bernin, de Borromini et de
Cortone. Un Sicilien obscur, Vincenzo della Greca, conçoit
pour la façade de *Saint-Dominique-et-Saint-Sixte* (1654), sous
la forme d'un escalier à double volée, un piédestal qui
fascinera pendant cent ans les architectes. Martino Longhi
le Jeune trouve à *Saint-Vincent-et-Saint-Anastase*, en 1646, en
groupant les colonnes par trois, la version la plus pittoresque
de la façade madernienne. Surtout, Carlo Rainaldi (1661-
1691) offre à Rome une de ses plus belles églises, *Santa-Maria
in Campitelli* (1663) : il place bout à bout deux espaces
centrés et fait cheminer de l'un à l'autre, pour les souder,
et pour coordonner les chapelles latérales, une procession
apparemment capricieuse de grises colonnes cannelées.
Église de pèlerinage, c'est-à-dire, en quelque sorte, église-
vitrine : la nef demeure dans une relative pénombre et la
coupole éclaire brutalement, non une croisée de transept,

mais l'entrée du sanctuaire qui contient la Vierge miraculeuse. Rainaldi, virtuose également des façades, étale
celle de *Sant' Andrea della Valle*, en tempère le mouvement,
et confère au contraire à celle de *Santa-Maria in Campitelli*
une vibrante épaisseur, due aux emboîtements et aux
décrochements d'ordres inégaux.

3 | l'architecture en Italie du Nord

Les recherches n'ont pas cessé dans cette Italie du Nord où,
au milieu du xvie siècle, s'était réfugiée la Renaissance. Tous
les maîtres lombards n'ont pas gagné Rome comme Maderno,
Borromini ou les Rainaldi... Les architectes de Gênes,
utilisant la rapide déclivité à laquelle s'adosse leur ville,
combinent les effets de perspective avec les effets de dénivellement et d'ascendance. Vers 1635, B. Bianco, dans la
cour de l'*Université*, superpose deux galeries à colonnes
ioniques géminées, aligne les balustrades horizontales
et obliques.

▶ *Venise et Longhena*

Cette transformation de l'architecture en un *spectacle* varié
dont le visiteur règle la mise en scène en avançant et en
changeant de niveau, le Vénitien Longhena (1598-1682)
la réalise, si l'on ose dire, « en chambre », en 1643, au vesti-
bule de *Saint-Georges-Majeur.* Un escalier à deux volées
symétriques, coudées à angle droit, se déploie dans une
immense salle autonome ; il est entièrement rassemblé sous
le regard, où que l'on se trouve, comme la scène d'un bon
théâtre, mais offre à chaque pas, à chaque degré, de nouvelles combinaisons de lignes. L'Europe Centrale, si proche
de Venise, n'oubliera pas la leçon.
Architecture optique également, triomphe d'un art scénographique, selon R. Wittkower, que le chef-d'œuvre de
Longhena, entrepris dès 1631 à l'extrémité du Grand
Canal, *Notre-Dame-de-la-Salute.*
Pourtant le point de départ, l'impeccable octogone coiffé
d'une coupole ovoïde, et la monotone succession, au tam-

bour, des fenêtres lourdement encadrées, paraissent bien dans la tradition de la Haute Renaissance. La sage grisaille de la nef vient de Florence. Mais le déambulatoire, en introduisant du « jeu » entre l'octogone et les chapelles périphériques, perturbe cette ordonnance; et surtout le chœur, qui ne se contente pas d'offrir au maître-autel l'indispensable abri privilégié, d'imposer la « direction » voulue par la liturgie, mais qui ajoute à l'octogone un espace aux limites insaisissables. Le plan, si admirablement lisible d'avion ou de gondole, ne l'est plus de l'intérieur, pour qui aperçoit le maître-autel au fond d'une perspective; les colonnes s'échelonnent comme des portants de théâtre; on croit deviner, entre les échelons, des échappées perpendiculaires riches d'éventuelles surprises, telles des coulisses. Le Bernin édifiait à l'intérieur de murs raisonnables un système de relations optiques. Chez Longhena, héritier plus direct d'une partie du maniérisme, et en particulier du Palladio du *Théâtre Olympique*, les éléments mêmes de l'architecture concourent à l'illusion.

En 1663, Longhena bâtit le *palais Pesaro*, superposition de *loggie* Renaissance, résurrection du chatoiement maniériste, revanche de l'étalement sur la centralisation romaine. Sept ans plus tard, ce sera l'inorganique et décorative façade de l'*Ospedaletto*.

Or, en 1667, Borromini meurt, ainsi qu'Alexandre VII, dernier grand pape mécène du siècle. Louis XIV traite Rome de haut. En 1669, P. de Cortone disparaît à son tour; le Bernin ne produit plus. L'architecture, désormais, se fera à Turin.

▶ *Turin et Guarini*

Guarino Guarini s'y installe en 1666, à 44 ans. Il y travaillera jusqu'en 1681, presque jusqu'à sa mort. Implantation, au demeurant, que rien ne déterminait *a priori*, et dont l'importance s'est trouvée dans une certaine mesure accrue après coup, du fait que les œuvres turinoises de Guarini ont subsisté et que toutes les autres ont disparu. Moine théatin, professeur, intellectuel, Guarini est un déraciné. Son souve-

PL. VI – A. RAGGI. Stucs de la voûte du Gesù. ▶

rain, le duc de Modène, l'a exilé et son ordre le mute, pendant une partie de sa vie, de ville en ville, de pays en pays. La carrière de ce Lombard qui débute en Sicile, et qui envoie des plans d'église à Lisbonne et à Prague, témoigne de la perméabilité de l' « Europe baroque », de l'homogénéité du monde de collèges et de couvents institué par les troupes d'élite de la Papauté. Non qu'il n'ait entretenu également des rapports avec « notre » Europe. Il a enseigné à Paris, et il y a dessiné une église, *Sainte-Anne-la-Royale*; mais, bien qu'elle ne soit pas restée sur le papier, cette église n'a guère eu meilleure fortune que le Louvre du Bernin. Longtemps inachevée, puis défigurée, enfin rasée, elle est surtout associée dans l'esprit des Français à une phrase méprisante de La Bruyère sur les offices des Théatins. Alors que l'architecture religieuse de la Bohême est née en partie du *Saint-Gaëtan* projeté en 1679.

Ce que Guarini a diffusé à travers bien des frontières, c'est en un sens la conception borrominienne de l'architecture, qui aurait sans doute été éclipsée, sans lui, par un académisme issu du Bernin; c'est l'idée que l'architecture implique une recherche illimitée et ne se contente pas de commenter une tradition, que chaque édifice compte par son *effet* spécifique, non par référence à un *a priori*. Le paradoxe est que Guarini a diffusé cet art difficile (ou au moins son *esprit*) sans le simplifier, mais au contraire en le compliquant, en l'intellectualisant encore. Borromini s'était formé sur les chantiers, en taillant la pierre, Guarini en cabinet, en lisant les traités de mathématiques, et spécialement sans doute les géomètres français du règne de Louis XIII et le praticien qu'ils ont inspiré, l'architecte jésuite Derand. Collusion entre les deux Europes ? En apparence seulement car, des réflexions d'un Desargues, les Français tireront une technique précise, sûre et aisément transmissible, une stéréotomie perfectionnée, et Guarini de nouvelles formes, ou plutôt le pouvoir d'inventer à l'infini des formes. En France, l'étude des *Rencontres d'un Cône avec un Plan* permettra d'éliminer tout hasard de la taille des claveaux; elle lancera au contraire Guarini et ses disciples du Piémont et de l'Europe Centrale dans une merveilleuse aventure.

◀ Pl. vii – P. de Cortone. Sainte-Marie-de-la-Paix.   PC-3

C'est le plan centré qui livre le mieux Guarini à l'invention, au lyrisme; ses deux seules œuvres intégralement conservées, le *Saint-Suaire* et *Saint-Laurent* de Turin, se rattachent à ce type. Au *Saint-Suaire*, nous retrouvons la triangulation borrominienne; nous retrouvons même, à l'intrados de la coupole, l'hexagone. Mais il s'agit cette fois d'un empilement d'hexagones de dimensions décroissantes, et *décalés*, disposés en quinconce, de sorte que chaque angle est nié au niveau

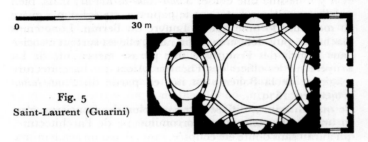

0   30 m

Fig. 5
Saint-Laurent (Guarini)

supérieur par un côté, puis chaque côté par un angle; cet enchevêtrement de polygones tend vers le cercle : la base de la lanterne qui coiffe la coupole est circulaire. Mais le plan du rez-de-chaussée de la chapelle l'était déjà, de sorte que ce vertigineux et funèbre reliquaire ne consiste sur toute son élévation qu'en une rivalité entre les deux figures essentielles, en une surenchère infinie entre figure inscrite et figure circonscrite.

Saint-Laurent, explosion rose et blanche, contraste avec cette étouffante cheminée conique. Le culte, ici, exigeait un chœur; un appel longitudinal draine la nef centrée. Un maître-autel l'oriente, éclairé d'en haut comme à *Saint-André-du-Quirinal*. La théâtrale succession de portiques évoque *la Salute*. Mais le Guarini original, le disciple exalté de Borromini, se manifeste dans l'élévation, dans la superposition des plans qui se contredisent d'un étage à l'autre, octogone sur carré, croix grecque sur octogone, cercle sur croix grecque. Virtuose des voûtes et des coupoles, Guarini ne peut se résoudre à *fermer* son église, à rabattre le couvercle, et il s'y reprend à trois fois, laissant, les deux premières, le regard monter à travers des claires-voies, entre ces nervures que l'on a comparées à des voûtes *mudejar*. Nous apercevons de l'extérieur, comme à *Saint-Yves-de-la-Sapience*, un faux tambour, mais celui de *Saint-Yves* contenait une vraie coupole, et celui de *Saint-Laurent* une fausse (v. PL. VIII). Tours de force exceptionnels. C'est en disloquant l'église longue, en montrant quelles possibilités recélait le sobre type post-tridentin, que le Théatin a exercé une influence européenne. Il a refait de chaque travée, un peu dans l'esprit du gothique, une unité, un membre d'un système structuré; empiétant sur la nef, disposées en oblique, les piles représentent pour Guarini bien autre chose que les temps forts d'une prosodie. Ses nefs oblongues maintenant détruites ou défigurées, ou jamais construites, la *Providence* de Lisbonne, *Saint-Philippe* de Turin, ondulaient, non en vertu d'un caprice décoratif, mais parce qu'elles étaient nées, comme un organisme, d'une combinaison de cellules.

4 | la sculpture

Le Grand Siècle de l'architecture a produit comme on sait, avec le Bernin, l'un des plus illustres sculpteurs de l'Occident. Le rayonnement de la sculpture du Bernin a sans doute contribué plus que toute autre invention romaine à « unifier » superficiellement le monde que nous appelons *baroque*, à donner à notre mot *baroque* une résonance. La réaction du président de Brosses devant la *Sainte Thérèse* de *Sainte-Marie-de-la-Victoire*, inlassablement rappelée par les voyageurs et les amateurs français, ainsi que la relégation du *Louis XIV* équestre dans les herbes folles, sous un talus de chemin de fer, comptent parmi les plus spectaculaires symboles de l'incompréhension des deux Europes.

Cette sculpture tourmentée, avide d'équilibres problématiques, extraordinairement habile à fixer le mouvement vif, procède sans conteste du maniérisme. Il n'y a pas ici rupture, comme en architecture ou en peinture. La *grandeur* du Seicento n'efface pas le chatoiement maniériste, elle s'empare de lui et le transfigure. Elle s'en nourrit. Contrairement au vieux préjugé de l'académisme, voici la noblesse et la puissance liées au mouvement (et à la polychromie), voici la monumentalité engendrée par la passion. Comparons au *tombeau d'Urbain VIII* commencé par le Bernin en 1628, celui de Léon XI, variation exécutée, six ans plus tard, sur le même thème, par l'Algarde : les gestes sont apaisés, la frontalité presque rigoureuse, le sarcophage et la statue du pape qui le surmonte forment un bloc symétrique, tous les personnages sont du même marbre blanc; or, toute majesté semble avoir disparu; rien n'exprime plus la puissance restaurée du trône de Pierre. Urbain VIII, c'était une tiare, un bras souverain levé sur le monde. Léon XI, prétexte de la riposte « anti-baroque », participe à une causerie au coin du feu. L'*Urbain VIII* du palais des Conservateurs, moins autoritaire que celui du tombeau, est humanisé par une main gauche ouverte qui transforme la bénédiction *Urbi et Orbi* en un geste d'accueil : un grand souffle froisse pourtant les plis de l'aube, soulève la chape, y creuse d'invraisemblables ressacs et ramène dans un univers épique ce prêtre presque paternel.

A la contorsion maniériste, le Bernin donne, a-t-on dit, un *sens*. Plus d'énigme, mais un drame, une action qui, R. Wittkower le souligne, entraîne le spectateur et lui transmet immédiatement et sans équivoque, pourvu qu'il ait bien choisi l'angle de vue, la charge d'émotion calculée par l'artiste. Le Bernin participe à sa manière, en effet, au grand mouvement psychologique et sentimental qui a créé tant de malentendus autour de l'art du Seicento. Il y a autant d'*âme* dans la *Sainte Bibiane* de 1624, et encore, si l'on veut, dans la *Sainte Marie-Madeleine* de 1661, que dans un tableau bolonais. Mais le Bernin invente un système de transposition, un répertoire personnel de signes, qui détourne l'attention du pseudo-réalisme démagogique des regards et des visages. Le rapprochement des deux saintes langoureuses que nous venons de citer est révélateur. L'œuvre de jeunesse, la *Sainte Bibiane*, est parente de la *Sainte Marie-Madeleine* de l'Algarde (église *Saint-Silvestre-du-Quirinal*, vers 1628). Drapé dense, mais conventionnel, bien accordé à l'anodine piété des yeux levés au ciel. Le corps, grâce à la robe équilibrée, banale, « vraisemblable », vite oubliée, ne sert guère que de socle à une tête *expressive*. Au contraire, ce qui reste de robe, sur la *Madeleine* du Bernin sexagénaire, annule le corps et annule du même coup cette tête « douloureuse » qui pourrait appartenir à n'importe quelle sainte, à n'importe quelle Niobé. Regard anonyme de Madeleine, mais croisement inoubliable des bourrelets d'étoffe froissée qui dédaignent toute logique et toute décence humaines, et en deviennent souverainement *signifiants*. Remplacez la tête du *Louis XIV* équestre par celle d'un quelconque héros antique : vous garderez, dans la fureur du cheval cabré, dans la confusion d'une crinière et d'un manteau de cavalier bousculés par la course, l'essentiel des intentions du Bernin, à savoir l'évocation de l'absolutisme triomphant. « Réaliste », le buste de Gabriel Fonseca (*San Lorenzo in Lucina*, 1668 et 1675) ? Il surgit, « comme s'il était vivant », d'une sorte de lucarne de marbre. Mais cette bouche entr'ouverte, ces yeux globuleux, ce sont également ceux d'un personnage fort rebelle à l'analyse psychologique, le cheval de Constantin (*Scala Regia*, 1654-70). Œuvre double, œuvre piège. Aux héritiers de Fonseca, le Bernin a livré un « portrait ressemblant », un de ces trompe-l'œil que l'on fabriquait déjà au xve siècle ; pour nous, il imagine ce miracle aussi troublant que celui du pont Milvius, le passage du divin sur la face d'un bourgeois.

La draperie dit la majesté, la passion, la souffrance. Elle désincarne. Elle prolonge et orchestre le frémissement des ailes angéliques, à *Sant' Andrea delle Frate* (1667) et au *pont Saint-Ange* (1669). Elle traduit en un savant désordre de lignes abstraites l'abandon de *Sainte Thérèse en extase* (1645-52). Sa souplesse, traitée pour elle-même, sans intention signifiante, donne son originalité au *tombeau de Maria Raggi* (*Santa-Maria sopra Minerva*, 1643), et produit une dissymétrie dont se souviendront les sculpteurs de rocailles. A la *Chaire de Saint-Pierre* elle contribue, avec les barbes, les énormes mitres inclinées, et l'extraordinaire jeu des trop longues mains, servantes de l'Esprit Saint, à instituer cette danse sacrée que pendant un siècle poursuivront les Pères de l'Église au pied des retables.

Chaire de Saint-Pierre, chapelle Cornaro, Baldaquin – les statues
les plus célèbres du Bernin ne sont pas isolées. Ne se suffisent
vraiment, en renvoyant à une réalité théoriquement
préexistante et extérieure, qu'un certain nombre de bustes-
portraits (*Scipion Borghese*, 1632, *Costanza Bonarelli* et le
caricatural *Duc de Bracciano*, 1635, *François d'Este*, 1650).
Les autres ne valent qu'à l'intérieur d'un système artificiel
et par référence à lui. Un système chaque fois différent, et
jamais sous-entendu comme cette *Nature* que l'on suppose
donnée une fois pour toutes, et à laquelle renvoie implicite-
ment, dit-on, chaque œuvre classique... Système qui peut
s'élargir aux dimensions d'un site, comme lorsque le Bernin
garnit de statues le fronton de la Colonnade de Saint-Pierre,
le parapet du pont Saint-Ange, ou la *spina* de la place Navone.
Ce peut être, nous l'avons vu à propos de l'intérieur de *Saint-
André-du-Quirinal*, toute une église. C'est souvent une chapelle,
laquelle se mue alors en une sorte de petit théâtre, pourvu
en général d'un violent éclairage zénithal dont le sens symbolique apparaît avec évidence. C'est parfois un « groupe »
comme le *tombeau d'Urbain VIII* ou l'admirable *tombeau
d'Alexandre VII* qui lui répond quarante ans plus tard, avec
son squelette brandissant un ironique sablier à la face d'un
pontife humilié et solitaire (v. PL. IX).
Face au Bernin, Alessandro Algardi (1595-1654), Bolonais
comme les Carrache, représente une sorte de résistance, ou au
moins de maintenance, « classicisante ». Lui seul a pu, notamment sous Innocent X, balancer l'immense prestige du
maître, et son influence tempère même un moment, entre
1630 et 1640, la fougue berninesque. Comme le *tombeau
de Léon XI*, la *Décapitation de saint Paul* (église *Saint-Paul*
de Bologne, 1641-47), avec son bourreau et sa victime
endormis, à bonne distance l'un de l'autre, dans les plus
correctes des poses, peut s'interpréter comme une réaction
consciente. Pourtant on est toujours le « baroque » de
quelqu'un. La *Madeleine* de l'Algarde, ou l'*Attila* dansant
du bas-relief de Saint-Pierre (1646), semblent « du côté
du Bernin » lorsqu'on les oppose à la *Sainte Suzanne* de
Duquesnoy (1629), tendre pastiche de l'Antique à la tête
penchée, au plissé rigoureusement traditionnel. Le Flamand

Duquesnoy (1594-1663) est un de ces transplantés qui, triant les tendances dominantes du règne d'Urbain VIII, éliminèrent l'effort novateur et ne retinrent que le retour aux Anciens. La génération suivante maintient jusqu'à la fin du siècle la prépondérance de la sculpture romaine en prolongeant – non sans quelques contaminations réciproques il est vrai – les deux courants : E. Ferrata (1610-1686) et D. Guidi (1625-1701) continuent l'Algarde, A. Raggi (1624-86) et M. Caffà (1635-67), le Bernin.

5 | la peinture

En peinture, dualité également. Mais ici, toutes les chances semblent, au départ, du côté « classique ». L'orage caravagiste apaisé, ou du moins éloigné en direction des Flandres, de l'Espagne et de sa colonie napolitaine, la seconde génération bolonaise triomphe avec le Guide (1573-1642), l'Albane (1578-1660), le Dominiquin (1581-1641), et dans une certaine mesure le Guerchin (1591-1666). Elle appauvrit, si l'on veut, l'héritage des Carrache, en en bannissant le souffle épique, en le tirant vers la psychologie, vers l'idéal, vers ce qui reste de Raphaël lorsqu'on en a extrait la grâce ombrienne et la foi humaniste, en forçant la proportion de « sentiment ». Une doctrine se constitue dans le deuxième tiers du siècle, que Bellori proclamera dans un manifeste lu en 1664 à l'Académie de Saint-Luc, et portant le titre significatif d'*Idea*. C'est un contemporain du Bernin – et de l'Algarde –, Andrea Sacchi (1599-1661), qui mettra la Doctrine en œuvre, ponctuellement relayé, avec les 25 années de décalage réglementaires, par Carlo Maratti.

Les fresques bolonaises, sagement divisées en *quadri riportati*, envahissent entre 1610 et 1620 les voûtes des grandes églises neuves et c'est là que Stendhal admirera le « naturel » de leurs personnages. Le genre pourtant, la Galerie Farnèse l'avait montré, offre d'autres tentations. Il impose des proportions et des procédés peu compatibles avec la délicatesse du dessin, avec l'individualisation psychologique. A cette distance, l'âme s'évapore. La complicité prolongée avec un art exigeant, l'architecture, relâche les collusions littéraires. Les fresquistes du Seicento vont peu à peu élaborer une peinture opposée (au besoin explicitement) à celle du Dominiquin et de Sacchi, et assez caractéristique et assez homogène pour qu'on utilise, afin de la désigner commodément, le mot *baroque*.

Certains éléments sont romains : la monumentalité, le souvenir des éclairages et des ombres caravagesques. D'autres viennent de l'inépuisable XVIᵉ siècle lombard : Lanfranco (1582-1647) apporte de Parme une dose de *sfumato* corrégien, et remet en honneur la *quadratura*, l'architecture feinte. Il ajoute, à la villa Borghèse, en 1624, des atlantes en trompe-l'œil qui paraissent, de tous leurs muscles bandés, soutenir le plafond. La fresque ne se décompose plus en une série de tableaux, elle n'a d'autres limites que celles que fixe l'architecture – réelle ou imitée avec une habileté diabolique. A la coupole de *Sant' Andrea della Valle*, Lanfranco s'inspire des perspectives illusionnistes de la célèbre coupole de Parme. « Classique » à ses heures, formé dans l'entourage des Carrache, mais toujours soucieux de garder ses distances, le Guerchin de son côté donne dès 1623, avec l'*Aurore* du *Casino Ludovisi*, un fécond exemple : entre d'imposants fragments d'architecture feinte entrecoupés d'urnes et de cyprès, s'ouvre un infini bénin, peuplé d'oiseaux, de putti et de bouquets; à peine aidé de quelques nuages, le char d'une déesse souriante y flotte inexplicablement. Dans cette œuvre inattendue, exécutée en pleine offensive classique, et au moment des canonisations d'ascètes espagnols, pour le cardinal neveu de Grégoire XV, s'annoncent joyeusement cent cinquante ans de fresque « baroque », s'amorce l'idyllique dialogue entre les colonnades, les parcs et le ciel, que Tiepolo ira conclure à Würzbourg, chez un prélat franconien.

Après ces précurseurs nous retrouvons Pierre de Cortone. Dès les fresques de *Sainte-Bibiane* (1624), il introduit dans la narration antiquisante, à la bolonaise, les grands gestes en diagonale qui cassent les frises et accusent la profondeur. L'*Enlèvement des Sabines* (1628), est l'un des points de pénétration du colorisme vénitien qui va transformer la peinture

PL. VIII – G. GUARINI. Saint-Laurent. Turin. ▶

romaine comme il transforme, par divers intermédiaires, la
peinture européenne. Les personnages se multiplient – phénomène proscrit par l'école de Sacchi parce qu'il conduit à
substituer le geste au visage, à résumer l'expression dans la
courbe d'un corps, l'angle d'un bras, l'émergence d'une
main, la longue traînée bleue d'une robe dégrafée. Le tableau
éclate en masses tourbillonnantes, variations sur les torsions,
les enlacements, les savants équilibres, de la statuaire berninesque. De 1633 à 1639, Cortone peint son œuvre décisive
au plafond de la salle d'apparat du palais Barberini, la
Gloire d'Urbain VIII. Il reprend la *quadratura* de Lanfranco,
mais la réduit à l'état de squelette : le ciel apparaît au travers,
comme entre les pans de mur de l'*Aurore* Ludovisi. Mieux :
des grappes de personnages, mêlées de nuées, passent devant
le faux encadrement architectural, et le cachent en partie.
Le Guerchin, d'autre part, avait lancé son fabuleux équi-
page *en travers* de la voûte ; vus en contreplongée, ses chevaux,
néanmoins, galopent perpendiculairement au regard levé
du spectateur. Cortone au contraire, utilisant en virtuose le
raccourci, dispose ses personnages de manière qu'ils n'entra-
vent jamais la montée du regard, mais la guident et l'accélèrent. De ces deux innovations naît un formidable grouillement ascensionnel, que n'interrompt même pas le motif
principal, le blason du pape : Cortone l'a écarté du centre
du plafond, l'a changé en une couronne légère et translucide.
La peinture n'est plus que rythme et, si l'œil s'arrête à
quelque détail, ce ne sera pas à une « expression », ni même
à un objet, mais au manteau azuré d'une déesse assise sous
la corniche, ou à l'étrange voile mauve de l'être planant qui
brandit un anneau d'étoiles et qui figure, dit-on, l'Im-
mortalité.
La suite de l'œuvre de Pierre de Cortone ne tire pas toutes
les conséquences des audaces du plafond Barberini : les
fresques ultérieures (*palais Pitti*, 1643, *Santa-Maria in Valli-
cella*, 1650 et 1655) se cantonnent dans les limites que leur
a d'avance assignées l'architecte, ne transgressent pas les
corniches et laissent proliférer en toute indépendance, à la
base des voûtes, de lourds motifs de vrai stuc. C'est la génération suivante qui, autour des années 70, dans de grandes

◄ Pl. ix – Le Bernin. Tombeau d'Alexandre VII.   PC-4 voûtes lyriques, réalisera complètement la fusion des arts, fera de la peinture une partie, sinon le substitut, de l'architecture.

▶ *Les peintres de la fin du siècle*

La date est d'ailleurs significative : l'ère des constructions originales est passée. L'architecte de la fin du siècle, à Rome, c'est le Comasque Carlo Fontana (1634-1714), qui a tiré des œuvres de ses devanciers immédiats un académisme, et qui construit courbe comme, avant le Bernin et Borromini, on construisait droit. La recherche s'est réfugiée chez les peintres et les meilleures productions de cette Rome qui, vient de perdre sa suprématie consistent en décorations de palais, en « baroquisations » d'austères églises de la Contre-Réforme (v. PL. VI).

Issu du caravagisme napolitain, Mattia Preti (1613-1699) travaille dès 1661 au *palais Valmontone*, près de Rome, pour les Pamphili. En 1667, Francesco Cozza peint, pour le palais de ville, cette fois, de la famille d'Innocent X, place Navone, l'*Apothéose des Pamphili* : la comparaison avec la *Gloire d'Urbain VIII* témoigne de l'évolution ; les personnages se sont encore multipliés, éloignés, rapetissés. Alors paraît le Gênois Gaulli – le Baciccia, 1639-1709 – qui va reprendre, face à Maratti, la position défendue par Cortone contre Sacchi. Sa fresque du *Gesù* (1674) combine à l'influence de P. de Cortone celle du Bernin : des anges sculptés interfèrent avec elle. Le mouvement du plafond Barberini devient ici tourbillon et, terminé loin dans le ciel, autour du monogramme du Christ, par une couronne d'angelots vaporeux que baigne une lumière surnaturelle, il prend un sens mystique. On ne distingue même plus de belles taches de couleur : les personnages forment masse, se confondent dans l'unité inintelligible de la contemplation ; la lumière compte seule, la lumière d'En Haut qui tombe obliquement sur nous, produisant au passage des contre-jours plombés, orageux, et culbutant hors de la fresque une grappe d'hérétiques.

Un pas de plus : la voûte de *Saint-Ignace*, où le F. Pozzo évoque en 1691 l'œuvre missionnaire des Jésuites. Les hommes et les anges avaient perdu leur individualité dans les fresques précédentes, mais ils gardaient encore, collectivement, la prépondérance; ils voltigent maintenant, perdus dans l'énormité des architectures feintes. Voici de nouveau les colonnades du *Casino Ludovisi*, mais multipliées, entassées, alignées en portiques fantastiques. Au milieu, entre les entablements à redans, on aperçoit le ciel, le Christ et une croix. Le vrai sujet, pour ce clerc passionné de perspective qui fut aussi un décorateur de théâtre, ce sont les ordres encore plus gratuits que ceux des palais de vraie pierre, rigoureux et irréels comme les figures d'un ouvrage théorique. Le séraphique essaim butine inlassablement au jardin d'Euclide. Ainsi se termine le Seicento, sur un hommage délirant et scientifique à l'art souverain, l'architecture. Ultime legs de la « Rome baroque » au monde des Habsbourg; A. Pozzo, après Guarini, incarne « l'autre Europe » et contribue à lui donner un visage, d'abord grâce à la diffusion de son *Traité de la Perspective*, ensuite parce qu'il ira achever sa carrière à Vienne, en 1709, et rayonnera, de là, sur tous les pays danubiens (v. PL. v).

CHAPITRE II

LE XVIIᵉ SIÈCLE IBÉRIQUE

Au moment même où la société néo-catholique qu'elle a en grande partie fondée se stabilise et devient productive, au moment où triomphe la spiritualité qui porte sa marque, l'Espagne perd sa puissance de rayonnement. Brusque entrée en décadence, souvent commentée, et dont les historiens ont notamment mis en lumière les causes économiques. Aux questions que les premières années du siècle posent à tout l'Occident, à la crise que provoquent le ralentissement du commerce des Indes et le resserrement monétaire, les rois Habsbourg ne trouvent aucune réponse. Après 1660 leurs cousins allemands, qui pourtant ont perdu, eux aussi, la Guerre de Trente Ans, et sur qui pèse en outre la menace turque, amorcent un redressement dans ce style sans éclat qui a procuré à la famille ses seules réussites durables. A Madrid commencera bientôt le règne de Charles II, le plus sombre de l'histoire espagnole.

L'apathie de la « Monarquia del Barroco », pour reprendre l'expression de certains historiens espagnols, n'entraîne pas, tant s'en faut, une « décadence des arts ». Mais sans doute explique-t-elle l'absence de cohésion de la vie artistique. La Cour s'attache pendant une quarantaine d'années Velazquez : cette formidable présence ne suffit pas à lui assurer un rôle dominant. Le peintre officiel de Philippe IV paraît un isolé si l'on compare sa position et son influence à celles du Bernin. Architecture, sculpture et peinture gardent, ou reprennent, ce caractère provincial que menaçait l'auto-

rité de Charles Quint et de Philippe II. La Castille s'efface et
les écoles les plus actives et les plus originales sont celle du
Levant et surtout celle de l'Andalousie – déplacement qui
correspond d'ailleurs à celui de la prépondérance démo-
graphique et de la répartition des richesses. Cette dispersion
comporte d'importantes conséquences. Elle préserve l'influence des corporations, des « métiers » traditionalistes, dont
se soucient peu, en général, les mécénats royaux. En accrois-
sant le poids relatif des commandes monastiques, elle assure,
P. Guinard l'a indiqué à propos de Zurbaran, une certaine
« plébéianisation » du goût : en ces pays écrasés par l'aristocratie, la voix populaire ne peut guère se faire entendre
explicitement que dans les couvents.

Faut-il conclure, comme on l'a fait souvent, à un isolement
total de l'Espagne, à un repli sur soi, à un retour, après le
bref intermède « européen » que symbolise le palais inachevé
de Charles Quint à l'Alhambra, au « vieux fonds espagnol » ?
Conception bien romantique. Les artistes qui demeurent
fidèles aux ateliers d'Andalousie, qui ne se rendent pas à
Rome comme le grand Andalou transfuge Velazquez,
n'opposent pas pour autant un refus total aux influences
italiennes. L'explosion caravagiste en fournit une preuve
spectaculaire. Et tel tableau où l'on reconnaît l'esprit de la
dévotion sévillane reproduit une gravure imprimée cinquante ans plus tôt à Anvers ou à Augsbourg. Les échos
de la deuxième Renaissance romaine, du « Baroque »
d'Urbain VIII et d'Innocent X, seront limités et tardifs,
mais ce qui les amortit, ce ne sont pas tant des résurgences
médiévales que des survivances de la *première* Renaissance
italienne (y compris ses séquelles post-tridentines). Si le
Bernin et la version guarinienne du borrominisme n'ont
jamais joué en Espagne le même rôle qu'en Europe Centrale,
c'est qu'ils se heurtent, non seulement à un art « du terroir »,
mais à une sorte de *koïnè* italo-ibérique élaborée au cours
du xvie siècle, sous la pression notamment d'une Contre-
Réforme dont la rigueur ne s'est pas atténuée dès la seconde
génération, comme à Rome. L'Espagne du *Barroco* (évitons
d'*assimiler* en traduisant) ne constitue pas un bastion inexpu-
gnable, au contraire; mais personne n'y coordonne les

apports extérieurs, n'y systématise l'exploitation de l'italianisme. Plusieurs italianismes contradictoires y interviennent en désordre, y fulgurent ou s'y attardent, bien ou mal compris. Et peut-être devons-nous expliquer ainsi, autant que par des « persistances ancestrales », l'impression de décalage, de « retard », que nous donne parfois le XVIIe siècle espagnol.

I | l'architecture espagnole

Le phénomène se laisse spécialement observer dans le domaine où un mécénat éclairé, sûr de sa doctrine et de ses ressources, peut intervenir de la façon la plus décisive, où les initiatives sporadiques et l'enthousiasme populaire ont le moins de prix, l'architecture.

La koïnè italianisante, la rude langue de la Contre-Réforme intégriste, a trouvé en la personne de Herrera (1530-1597) un utilisateur péremptoire et bien en Cour, et a laissé un monument d'une autorité irrécusable, l'Escorial. La conception, le plan du palais-monastère de Philippe II – mariage de l'absolutisme espagnol et de la symétrie italienne – trouveront plus tard de magnifiques prolongements dans les couvents du Danube. Pour l'immédiat son style paralyse une ou deux générations d'architectes espagnols. Point de Maderno pour tirer de la sévérité post-tridentine, sous ce « roi de transition », Philippe III (1598-1621), une nouvelle monumentalité. Francisco de Mora (1546-1610) et son neveu Juan Gomez (1586-1646), s'efforcent simplement de détendre l'herrérisme. Les premiers sourires du siècle effleurent – sourires austères – la Plaza Mayor de Madrid, et les façades de quelques édifices publics, telle la Prison de la Cour.

A partir de 1625, seconde vague italienne, plus mêlée, plus riche en éléments fertilisants. On traduit Palladio. Les murs s'animent, sous l'influence notamment de la décoration exécutée par Crescenzi, vers 1620, au Mausolée de l'Escorial. Francisco Bautista (1594-1679) introduit aux Jésuites de Madrid, aujourd'hui cathédrale, un rythme iambique – une travée forte, une travée faible – qui semble provenir de

Saint-André de Mantoue. A la chapelle *Saint-Isidore* de *Saint-André* de Madrid (1642), Pedro de la Torre dresse une coupole octogonale sur une écrasante masse parallélépipédique, sacrifiant délibérément la tradition, « l'harmonie », à la *fonction* (le pèlerinage) et à l'expression. A *Notre-Dame-des-Désemparés*, à Valence (1652), le rectangle extérieur enveloppe une nef ovale et diverses pièces annexes, dont le surprenant *camarin*, caractéristique désormais des églises espagnoles, oratoire ou « trésor » surélevé et caché derrière le maître-autel. Recherches où ne s'exprime aucune personnalité marquante et qui ne conduisent pas à un style homogène, mais prouvent que le temps de l'imitation commence à passer et que les architectes examinent avec moins d'idées préconçues les problèmes d'une liturgie sensiblement différente de celle du Moyen Age, et de celle des autres pays catholiques.

▶ *Façades et retables*

A l'extérieur des églises l'invention, également, s'affranchit. La façade dont Alonso Cano, en 1664, dote la cathédrale de Grenade, n'aura guère de postérité. Cet énorme arc de triomphe semble d'ailleurs avoir été conçu par D. de Siloe à une tout autre époque et Cano a essentiellement dessiné le réseau des pilastres évidés, des tranchantes corniches, des gros modillons ouvragés et des œils-de-bœuf. L'avenir est plutôt à la façade-retable, qu'annonce à Valence, dès les années 40, *San-Miguel de Los Reyes*. Il s'agit au départ d'une utilisation des ordres, d'une application de Serlio. Martin de Olinda empile docilement dorique, ionique et corinthien. Il reprend en un sens la composition pyramidante que Maderno a imposée en Italie. Il emboîte et échelonne les couples de colonnes comme le font à la même époque les architectes d'Urbain VIII. Pourtant, l'ensemble révèle un autre esprit. Il y a trois étages, non deux, et de hauteur égale, de sorte que les colonnes compartimentent plus qu'elles n'articulent. Deux hautes tours latérales modifient l'échelle et l'on aperçoit, surmontant l'ordre supérieur, le haut du mur contre lequel tout le dispositif est appliqué, comme un postiche : la ressemblance se dessine avec les immenses retables qui quadrillent, du sol aux voûtes, le fond des chœurs.

Façade et retable, désormais, évolueront ensemble. Les ordres perdent en partie leur prédominance, deviennent les éléments, parmi d'autres, d'un épiderme sculpté. Puis, vers 1670, le Sévillan Bernardo Simon de Pineda réagit contre ce qui reste d'esprit « plateresque » dans le retable, dans cet alignement de panneaux équivalents et sans relief marqué. Il accentue violemment la travée médiane de l'étage inférieur, lui subordonne le reste, et introduit des effets de perspective et des motifs décoratifs épais et tourmentés, dont George Kubler voit l'origine à la fois dans le théâtre italien et les recueils gravés des ornemanistes maniéristes du Nord. Parallèlement un nouveau vocabulaire, gras et abstrait à la fois, luxuriant et roide, envahit les surfaces extérieures des églises, spécialement concentré sur les tours, les coupoles et, bien entendu, les portails. De grands travaux sont entrepris, pendant le dernier tiers du siècle, pour moderniser Saint-Jacques de Compostelle (la gigantesque façade de l'*Obradoiro* ne s'achèvera qu'en 1749), et c'est alors que commencent à s'accumuler ces volutes et ces clochetons, ces bourrelets, ces grappes, ces petites pyramides mouchetées d'une boule et ces pinacles en forme de coquetiers, qui donnent à la vieille cathédrale et à beaucoup de monuments de la ville et de la province leur magnificence un peu gourmée.

2 | le Portugal

Annexé en 1580, le Portugal reste une province espagnole jusqu'en 1640. Il subit la tyrannie herrérienne, sous Philippe II, par l'intermédiaire du Bolonais Terzi (1520-1597). La grande œuvre de Terzi, *São Vicente de Fora* (Lisbonne, 1582-1605), née en partie de quelques idées de Herrera qui ne trouveront en Espagne qu'une application imparfaite, pose au demeurant certains des principes auxquels l'architecture portugaise devra son originalité : la croix latine que dessine l'espace intérieur est intégralement camouflée par une enveloppe rectangulaire ; le chœur est divisé et amoin-

dri : le maître-autel, dressé à égale distance du transept et du
chevet, en cache la moitié aux fidèles; les deux tours, enfin,
encadrent une large façade à deux étages égaux, percée de
rangées de fenêtres comme une façade de palais. Ces ouvertures de forme profane caractériseront bientôt l'intérieur
même des églises : les tribunes du *Carmel* de Coïmbre et des
Bénédictins de Porto (1597-1602) ouvrent sur la nef d'étroites
fenêtres qui les transforment en étages d'appartement privé.
Le « précédent » est ici, il est vrai, antérieur à l'importation
de la version herrérienne de la Contre-Réforme : il se trouve
aux *Jésuites* d'Evora (1567). A l'église des *Grilos* de Porto,
bâtie en 1614, pour la Compagnie, par Baltasar Alvares,
des pilastres saillants, des frontons et des volutes réintro-
duisent un mouvement ascensionnel, une structure de
pyramide, parmi les éléments du frontispice à la Terzi.
Mais la façade du *Séminaire* de Santarem (1676) retrouve une
élégance toute laïque, en dépit de son couronnement
vignolesque et de ses niches pour statues de saints.

3 | la sculpture espagnole

Les conditions qui ont rendu hésitant le développement de
l'architecture peuvent exercer sur d'autres arts une action
à peu près inverse. La sculpture du *Barroco* ne perd rien au
contact avec un public provincial et populaire. Encore
faut-il nuancer. Ces « mannequins » polychromes, « réalistes »,
pathétiques, que l'on offre volontiers à la dévotion démons-
trative de l'homme de la rue, nous choquent, et nous avons
peine à les intégrer à une tradition « artistique ». N'y voyons
pas pour autant une création spontanée du « fanatisme ibérique ». L'une de leurs sources, c'est le très grand art de
l'école de Valladolid, de Berruguete (1488-1561), qu'a
formé en partie la Renaissance italienne, du mystérieux
Français Juan de Juni (1506 (?)-1577). L'autre, c'est la
réaction de Philippe II et du clergé tridentin contre, précisément, le lyrisme de l'école de Valladolid. Le « réalisme »
du XVIIe siècle, s'il a trouvé une foule prête à l'accueillir avec
ferveur, est en partie lié, tel, *mutatis mutandis*, l'idéalisme bolo-

nais, à une politique. Le Pouvoir et l'intelligentsia ont encouragé, de propos délibéré, la substitution d'une morale à une mystique.

Successeur direct de J. de Juni, Gregorio Fernandez (1576-1636), dernier grand sculpteur de Vieille-Castille, élimine de l'héritage ce qui est *signe*, ce qui *transpose*, les ors, les excessives torsions des membres et des plis des robes, et donne tout son soin à l'expression des visages douloureux, à la vraisemblance des chairs. Ses thèmes de prédilection sont la *Pietà*, la *Vierge des Angoisses*. Ses drapés sont lourds, et parfois d'une géométrie peu convaincante. Comme tous ses contemporains, il a travaillé à de nombreux retables et fabriqué des *pasos*, groupes destinés aux processions. Il faut, pour savourer sa rusticité, comparer son *Saint Bruno* de 1634 (musée de Valladolid) à ceux de Manuel Pereyra, l'élégant et tendre sculpteur madrilène, en particulier au *Saint Bruno* de pierre de l'Academia (1635); d'un côté un moine mal rasé penché sur un crucifix de pauvre, de l'autre un glabre intellectuel méditant sur une tête de mort – Laurence Olivier interrogeant le crâne de Yorick.

Avec Montañes (1568-1649) nous passons définitivement à l'Andalousie. Personnalité déconcertante : le grand Sévillan a laissé de nombreux *pasos*, et peut-être même le *Christ du Gran Poder* qui est devenu, surtout depuis qu'on l'a désarticulé comme un pantin, le symbole de l'imagerie populaire. Non content d'utiliser le traditionnel bois polychrome, il a revêtu certains personnages de vraies étoffes : le *Saint Ignace* et le *Saint François Borgia* de la chapelle de l'Université (1610) portent des soutanes encollées et peintes (v. PL. XII). Nulle démagogie, cependant, dans les attitudes, une noblesse et une réserve dans l'intensité qui nous ramènent dans certains cas, par-delà Berruguete, à une Renaissance presque académique (bas-relief de l'*Adoration des Bergers*, à *Saint-Isidore* de Santiponce, 1610), qui conduisent à une sorte de classicisme. Les procédés sont parfois dignes du musée Grévin, mais l'art est tout d'intériorité; le « psychologisme » de l'époque atteint ici un sommet et nous porte à l'opposé exact de la monumentalité épique du Bernin. Reprenons le thème de *Saint Bruno* : après le paysan ému de Fernandez et le professeur de théologie de Pereyra, voici enfin l'ascète, avec un visage émacié et un regard qui nous font oublier les plis de la robe, l'inévitable tête de mort, et toute la terre. Oblation de saint Ignace, acuité de François Borgia, le jésuite hidalgo, sourire obsédé du pénitent Guzman – sur toute cette hagiographie décharnée et fraternelle se lèvent les Images essentielles, legs inimitables et inlassablement démarqués de Montañes à son siècle, le *Christ de Clémence* (1603) et l'*Immaculée Conception* (1629) de la cathédrale de Séville.

Types à partir desquels se définissent les successeurs : Juan de Mesa (1583-1627) charge d'effets le *Christ de Clémence;* son *Christ de la Bonne Mort* a le torse ensanglanté, sa tête tombe sur la poitrine plus qu'elle ne penche; le linge des reins se froisse en tornade. Chez Alonso Cano (1601-1667), l'aventurier formé à Séville, admiré et torturé à Madrid par Philippe IV et mort chanoine à Grenade, le manteau de la *Purissima* se gonfle de grâce terrestre, enferme cette Vierge presque enfant, plus rêveuse peut-être que recueillie, dans un adorable contour de mandorle. Le pittoresque Cano lance à Grenade, tout en dessinant la façade de la cathédrale, la mode des statuettes, et dote le couvent de l'Ange d'un *Saint Joseph*, d'un *Saint Antoine de Padoue* et d'un *Diego d'Alcala* géants. Enfin, continuant dans ce domaine également l'œuvre de Montañes, il ennoblit le retable grâce à de colossales colonnes striées en spirale (*Santa-Maria* de Lebrija, 1630).

Un peu moins d'austérité encore, un peu plus de théâtre, chez Pedro de Mena (1628-1688), assistant de Cano. Son *Diego d'Alcala*, moinillon extatique à la robe trop froissée, n'a pas la pudique distinction de celui du maître. Sa *Madeleine pénitente* du Prado, ravagée, échevelée, pousse vers l'expressionnisme une attitude familière à Montañes. Le drapé complexe du baroque romain apparaît, un peu gratuit, autour de l'Enfant de la *Vierge de Bethléem*, dans un *tondo* de Malaga (1664 ?). Mais son œuvre la plus célèbre, c'est le *Saint François* de Tolède, cadavre dressé comme dans la vision de Nicolas V, macabre géométrie imprimant sur la bure la raideur de la mort (1663).

José de Mora (1642-1724) entraîne l'école de Grenade dans le sens du raffinement sentimental, de la contemplation passive, du quiétisme. Il est le maître des Crucifiés qui meurent sans exhibition sanglante et des immobiles *Soledad* aux bras croisés (*Sainte-Anne* de Grenade, 1671). Il nous a laissé un ultime *Saint Bruno* au fin vêtement traversé de souffles, trop jeune, prostré, un peu hagard, et comme effaré par son destin.

▶ *Les retables de la fin du siècle*

Les Andalous inventent également sous Charles II, nous l'avons vu, un nouveau type de retable. La « réforme » de Simon de Pineda s'insère d'ailleurs dans un mouvement qui, lié notamment à l'extraordinaire développement du culte eucharistique, embrasse toute l'Europe, et qui tend, sous l'influence des décors provisoires des fêtes urbaines et des « architectures intérieures » du Bernin, à donner au retable sa structure originale et son autonomie. Le maître-autel de la *Caridad* de Séville (1670) ne sert plus à *présenter* des scènes peintes ou sculptées, n'a plus rien du traditionnel columbarium à statues que restait, en dépit des ordres, le retable de Montañes et de Cano. Il s'organise apparemment autour de la Mise au Tombeau qui surmonte le tabernacle. En fait, ce groupe n'est pas à l'échelle, les proportions de l'ensemble l'écrasent presque autant que les statues coincées à droite et à gauche entre les colonnes salomoniques. Le centre de la composition, ce ne sont pas les personnages sculptés, c'est un *espace* : une coupolette le couvre et le Calvaire peint au-dessus de la Mise au Tombeau l'ouvre vers l'infini, grâce aux perspectives soulignées par des croix *de profil*. L'étage supérieur du retable ne fournit plus qu'un complément, il couronne une pyramide.

L'Espagne donne ici un grand exemple : l'Europe Centrale n'atteindra à cette profusion structurée que 30 ou 40 ans plus tard. Mais déjà les ciselures attaquent les colonnes de Pineda. Le parti de la *Caridad* est développé par Cristobal de Guadix, transplanté en Castille par Herrera le Jeune; mais la tendance à accumuler les détails sculptés triomphera bientôt et entraînera de nouveau le retable ibérique sur des voies solitaires.

4 | la peinture

Le Greco meurt en 1614. Mais dès les dernières années du xvie siècle, quelques Italiens implantés à la Cour luttent contre le mysticisme « maniériste » au nom d'une gravité clairement et directement édifiante ; cette réaction « Contre-Réforme », analogue à celle qui assagit les héritiers des grands sculpteurs de Valladolid, se combine curieusement avec le caravagisme dont la vague, à partir de 1600, balaie l'Espagne.

Ténébrisme, goût des « réalités familières », recherche de la lisibilité psychologique et de l'évidence narrative, un rien, parfois, d'idéalisme, se mêlent donc, dans la riche et vivante peinture du règne de Philippe III, à des composantes moins « modernes », tragique du Greco et colorisme vénitien. Trois hommes issus de l'illustre atelier tolédan contribuent particulièrement à l'élaboration du nouveau style et à sa diffusion dans toute l'Espagne, Orrente (1570 ?-1645), qui a peut-être enseigné les éclairages obliques et dramatiques au milieu valencien où vivent les Ribalta père et fils (1565-1626 et 1597-1628) et d'où sortira Ribera, Luis Tristan (1586 ?-1624) qui donne une leçon de « naturel » à l'Andalousie, mère de Velazquez et de Zurbaran, et J. M. Mayno (1578-1649), peintre plus « intellectuel » peut-être, portraitiste, conseiller artistique officieux du roi et qui, comme tel, préparera les voies de Velazquez à la Cour.

Sanchez Cotan (1561-1627) doit son actuelle notoriété, peut-être à sa qualité de chartreux, sûrement à sa « spécialité », la nature morte : c'est un des domaines où les prospections du xviie siècle semblent le plus se rapprocher des nôtres. Œuvres un peu mystérieuses, ne serait-ce qu'en raison de la brusque disparition de ce récit qui devient si tyrannique dans la peinture du temps ; œuvres particulièrement offertes à l'interprétation : à propos de *Coing, chou, melon et concombre*, Martin Soria mentionne Calder... Recherche sur la lumière, en tout cas, mais non sur son pouvoir de sélectionner les objets pour le drame, de rendre certains d'entre eux significatifs : la lumière de Cotan dépouille les objets de toute signification, ou les dore tous d'une signification égale, ce qui revient au même. Natures mortes, natures muettes. Variations également sur la perspective, que concrétise un bord de table, dont de très caractéristiques *porte-à-faux* rappellent les lois, mais que contestent les fonds noirs, parfois le strict alignement des objets; en suspendant un coing et un chou à des fils, dans le tableau maintenant célèbre, Cotan semble se dérober ironiquement aux exigences de la construction spatiale de la Renaissance.

Mais la nature morte sait aussi être pittoresque et anecdotique. Sous l'influence des Flamands, et en particulier de Juan van der Hammen y Leon (1596-1631), sa variété espagnole, le *bodegon*, donne souvent, vers le milieu du siècle, dans l'énumération plantureuse, et côtoie la scène de genre.

Les Italiens, de leur côté, cultivent les « grands genres », peinture de Cour, cycles monastiques; ce sont surtout A. Nardi (1584-1664) et V. Carducho (1576-1638), l'idéaliste, l'ennemi du caravagisme, le rival malheureux de Velazquez.

La génération des peintres contemporains de Philippe IV correspond à la grande génération des architectes romains; elle est encore moins homogène, encore plus rebelle à un étiquetage commun.

Ribera (1591-1652) est celui qui porte le plus nettement la marque de son époque. Il part pour l'Italie dès 1610, et se fixe définitivement à Naples, colonie espagnole et foyer de caravagisme violent. Il exploite et popularise le « réalisme », et le ténébrisme. Il les sensualise. La lumière perd le caractère en quelque sorte extérieur, démiurgique, qu'elle avait chez le Caravage et s'intègre à la pâte, devient une qualité de la chair, un élément d'une épaisseur rugueuse. En même temps le drame se concentre, se simplifie, et le goût des personnages modestes s'oriente vers un pittoresque jovial. Vers 1630, le caravagisme se mitige chez Ribera comme partout et la vibration, l'animation, s'accentuent. Puis, vers 1640, les modelés s'assouplissent, les mouvements s'apaisent, et l'on peut opposer l'équilibre de la *Sainte Famille avec sainte Catherine* (1648) à la composition en croix de Lorraine oblique de la *Trinité* de 1636, le net profil du *Saint Jérôme* de 1644 aux fondus tournoyants du *Saint Pierre* de 1631.

Zurbaran (1598-1664) semble au contraire échapper à son temps. D'où sa légende. Ses personnages hiératiques reflètent une vie surnaturelle plus qu'ils ne participent aux drames de la terre, ces drames fussent-ils religieux. Son *ténébrisme* ne saurait être coupé du Caravage, mais on lui trouve aussi des affinités avec une série d'effets cultivés dans les ateliers espagnols au tournant du siècle. *Ténébrisme*, surtout, qui ne se combine avec aucun lyrisme de la troisième dimension, qui ne fait pas surgir les personnages des profondeurs, mais les bloque face au spectateur, leur donne du poids, une paisible netteté sculpturale. Rien de plus étranger à Zurbaran que le raccourci cortonesque qu'il utilise si gauchement lorsqu'il se risque à Madrid (*Cycle d'Hercule* du Prado, 1634). Sa composition fait songer à Cotan, et pas seulement dans les natures mortes comme les *Oranges* de 1633.

Le premier tableau connu de Zurbaran représente l'*Immaculée Conception* (1616), celui qui le mit au premier plan un *Christ en Croix* (San Pablo, 1627) : nous sommes à Séville, au temps de Montañes. Mais on sait que sa gloire demeure liée aux grands cycles monastiques : *Vie de saint Bonaventure*, pour le Collège franciscain (1629), *Vierge des Chartreux*, *Repas des Chartreux, Saint Bruno et le pape Urbain II*, pour la Chartreuse de Triana (1635 ?), épisodes de l'histoire des Hiéronymites, pour le monastère de Guadalupe (1638-39). Les gris et les bruns dominent la plupart de ces scènes, ainsi que le blanc célèbre des robes monacales; la mort même n'est pas une angoisse sur les visages, c'est la couleur verdâtre du cadavre, c'est, surtout, un *blanc*, un *autre blanc*, le blanc irréel des ornements funèbres de saint Bonaventure (v. PL. x). L'anecdote, souvent malaisée à déchiffrer, se confine volontiers dans un tableautin esquissé à l'arrière-plan et à une autre échelle (Guadalupe).

Pourtant, vers 1640, l'époque rattrape Zurbaran. Sous la

forme, d'abord, du pathétique. Le *Saint François en méditation* de Londres, qui enthousiasma les Romantiques, appartient à un autre univers que les Chartreux de Triana. La grandiose impassibilité n'intéresse plus le public. Le maître, un peu délaissé, commence à travailler pour l'exportation, à expédier dans les couvents d'Amérique de belles saintes aux robes multicolores. Puis il se laisse influencer par la sentimentalité de Murillo, et par ces formes virevoltantes que les Français associent d'ordinaire au *baroque* : l'*Immaculée* du musée Cerralbo de Madrid est gracieusement arquée; un pan de son manteau s'agite comme celui d'une statue du Bernin, et le serpent qu'elle piétine se noue en boucles décoratives.

Velazquez (1599-1660) quitte Séville dès 1623 et s'installe à Madrid, au milieu des collections royales, c'est-à-dire au cœur de la peinture européenne. En 1628 il rencontre Rubens. Sa carrière s'articule sur deux voyages à Venise et à Rome (1629 et 1649). Toute la Renaissance, toute l'Italie, l'ont formé, mais il en a très vite perdu conscience. De l'inévitable *ténébrisme* de 1620 il se débarrasse mieux que tout autre et il apprend à obtenir le relief hors de tout contraste, avec le moins d'ombre possible, grâce à un mariage entre coloris et lumière qui anticipe sur le Settecento vénitien, parfois sur le paysage français du XIXe siècle (*Jardins Médicis*, 1650). Lumière insaisissable, de partout et de nulle part, et plus concrète pourtant que la lumière caravagiste. Lumière qui ne désigne ni ne dénonce, mais baigne et vivifie : « L'air, note P. Guinard, circule maintenant entre un profil et un fond, entre deux personnages. »

Cet oubli souverain de la *manière* des maîtres et cette lumière qui confère l'autonomie, qui individualise, il était tentant de les interpréter en termes de « réalisme » – quitte à ajouter que la nature avec laquelle Velazquez se tient en « contact direct » est après coup ennoblie, « spiritualisée », « idéalisée ». Cette apparente contradiction définit justement, pour Soria, la « peinture baroque »... Définition d'autant plus vague et fragile qu'on l'a appliquée à bien d'autres arts, et notamment à celui qu'on appelle « classique ». En fait, Velazquez a trouvé dans les variations chromatiques, dans le lyrisme

PL. XI – J. DE CHURRIGUERA. Retable de San Esteban. Salamanque. ▶

du reflet et du scintillement, un moyen de vaincre le récit, de tuer la littérature, aussi sûr, quoique plus équivoque, que le silence de Zurbaran – ou que l'éloquence du Bernin. Il faut, de ce point de vue, comparer aux statues d'Urbain VIII aux amples gestes le célèbre *Innocent X*, immobile parmi les étoffes rouges, et, à l'envol ébouriffé du *Louis XIV* équestre, un cavalier comme le *duc d'Olivares*, toute massivité en dépit des torsions et du raccourci. C'est le baudrier brodé d'or qui sauve de la lourdeur l'imposant ministre... Rappelons d'autre part la prédilection bien connue de Velazquez pour les personnages étrangers à l'Histoire (et à la vie), infantes ou fous : il ne s'agit pas de faire pressentir, derrière ces visages inexpressifs, ou exprimant *trop*, une « âme », un « type » ; ils excluent toute transcendance, au contraire, et laissent par là même à la peinture la même liberté et le même pouvoir de création totale que les objets des natures mortes.

La construction se fonde sur les rapports de couleurs, sur les variations de la relation entre couleurs et contours, mais aussi, plus traditionnellement, sur les liaisons de plans, les biais tracés ou suggérés. Les deux méthodes se combinent savamment dans un portrait comme le *Philippe-Prosper* de 1652, où les divers rouges s'enchaînent en un U oblique par rapport aux trois dimensions à la fois, et dans les grandes scènes célèbres, depuis *Le Christ chez Marthe et Marie* (1619) jusqu'aux *Fileuses* (1657). Le cheval perpendiculaire, familier depuis deux cents ans des tableaux de bataille, la trouée centrale entre les deux groupes, le paysage enfumé qui monte vers les nuages, donnent la profondeur de la *Reddition de Bréda* (1634), concurremment avec le flou impressionniste qui, dès le troisième plan, brouille les traits des officiers de Spinola (v. PL. xv). *Les Suivantes* (1656) forment à la fois un éclaboussement de touches et un entrecroisement de figures et de vecteurs ; l'étude porte sur le miroitement des satins et, en même temps, sur la valeur de la boîte à perspectives que Velazquez clôt et perce, complète en y enfermant l'image réfléchie du couple royal, mais traite avec désinvolture en la décrivant comme un monde ouvert, tronqué, et en nous retournant le regard qui, arbitrairement, la construit.

◀ PL. xii – J. M. MONTAÑÉS. Saint François Borgia.   PC-5

Fils d'un menuisier ajusteur de retables, apprenti comme Velazquez dans le fameux atelier sévillan de Pacheco, Alonso Cano apporte à la grande génération des peintres un complément original, de même qu'il a su tirer de Montañes une sculpture qui lui est personnelle. Il débute comme Zurbaran dans le *tenebroso*, mais participe à sa façon à la réaction « colorée » des années 30. En 1638 ce virulent représentant de la tradition des peintres asociaux s'installe à Madrid et s'efforce de se muer en peintre de Cour. Il lui arrive même d'assister dans ses tâches officielles Velazquez, à qui il doit sans doute la protection du roi et du favori. Son art ne devient pas pour autant conventionnel comme celui de Zurbaran pendant l'intermède madrilène. La sobriété de la *Descente aux Limbes*, la simplicité de l'immense geste du Christ, l'étrange éclat du corps de la femme rédimée sur un fond sans perspective, brutal comme un mur de prison, ne doivent rien aux *manières* en vogue. Quant au *Miracle de saint Isidore*, Soria y décèle un « impressionnisme », une recherche des « effets atmosphériques », qui annoncent certaines œuvres des dernières années de Velazquez.

On sait qu'à partir de 1652 Cano vit à Grenade, peignant pour les couvents et pour la cathédrale *(Les Mystères de la Vierge)*.

L'atmosphère change avec l'heureux et pacifique Murillo (1618-1682), fondateur de l'Académie de Séville en 1660 et premier de ses présidents. Murillo est, vers le milieu du siècle, maître absolu du marché andalou, et l'on sait que, pendant deux siècles, c'est en partie à travers lui que l'Europe a jugé la peinture espagnole. Il a su mettre, sans sortir de Séville, les énormes moyens de la peinture italienne et en particulier de Venise au service de la sentimentalité « embourgeoisée » du milieu du siècle, du pathétique désespérément modéré qui, à Rome, menace un instant le Bernin lui-même. La Cour et son sens du rite protègent contre cet « humanisme » disert Carreño (1614-1675), peintre favori de la veuve de Philippe IV, et Fr. Herrera le Jeune (1622-1685), fils d'un Sévillan contemporain et concurrent de Zurbaran. Nobles scènes composées, pyramides, diagonales, corps incurvés, anges en raccourci, lumineux grouillements de *putti*, tragiques premiers plans à contre-jour, tout le répertoire, toute la syntaxe héroïque du « décor baroque » mobilisent fébrilement l'espace et bannissent la « vraisemblance », « l'intimité » murillesques. Une troisième génération achève le règne de Charles II, celle d'Antolinez et de Claudio Coello; on peut arrêter à Antolinez la série des *Immaculées* du *Barroco* : le corps disparaît dans les plis houleux du vêtement et ne se détache plus des tourbillons d'angelots.

L'Andalousie, cependant, devait encore produire un « inclassable », Valdes Leal (1622-1690); non qu'il faille identifier le dernier grand Sévillan, comme l'a fait toute une littérature, avec le fameux et espagnolissime *Finis gloriae mundi*, avec les trois seigneurs décomposés de l'Hospice de Don Juan. Valdes Leal est avant tout un très brillant coloriste attiré par les enchevêtrements de corps agités *(Attaque de Sarrasins)*, un organisateur de cérémonies somptueuses, un virtuose de la perspective et du *sfumato (Saint Thomas de Villanueva distribuant les aumônes)*. Mais cette bénigne définition risquerait de le mutiler : il a su également récupérer le *tenebroso* pour lui donner une signification violemment expressionniste, et il n'est pas indifférent que l'allègre squelette de son *Triomphe de la Mort* (1672) foule aux pieds, outre l'habituel bric à brac symbolique, la *Pompa Introïtus* de Rubens : un cycle se ferme avec ce peintre disparu peu de temps avant le dernier Habsbourg.

CHAPITRE III

LE XVIIᵉ SIÈCLE EN BELGIQUE
EN ALLEMAGNE
ET EN POLOGNE

1 | la Belgique

Premier sans doute parmi les Français, Baudelaire redécouvrit ici il y a cent ans, à une époque où l'amour du gothique, curieusement mêlé à l'anticléricalisme, tournait les têtes, le charme de l'art religieux du XVIIᵉ siècle. Lointain début de la lente « reconquête » d'un domaine méconnu ; et c'est pourquoi nous aborderons avec une émotion particulière ces « merveilles sinistres et galantes » qui le consolaient de son exil, cette architecture qu'il qualifiait approximativement, mais sans intention péjorative, de « jésuitique »...

En 1599 les « Pays-Bas du Sud », d'Arras à l'Escaut, font un mémorable accueil aux souverains que vient de leur donner l'Espagne, Isabelle, fille de Philippe II, et son mari et cousin l'archiduc Albert d'Autriche. Les voici théoriquement constitués en principauté autonome. Ils demeurent, certes, face aux provinces calvinistes dont la trêve de 1609 les séparera officiellement et face à la France, le ferme point d'appui de la politique et des armées espagnoles. Mais la petite Cour de Bruxelles, sans supplanter Anvers, sans rompre avec toutes les traditions du Moyen Age flamand, favorise pendant deux ou trois générations, avec l'aide des Jésuites, le développement d'une version originale du tridentinisme. Au milieu du siècle, lorsque se sera de nouveau alourdie la tutelle de Madrid et lorsque le pays ne servira plus guère que de champ clos aux Bourbons et aux Habsbourg, la recherche s'interrompra, avant qu'ait pu prendre racine, comme en d'autres pays au Nord des Alpes, une bouture de l'architecture romaine du Seicento.

► *Architecture*

Les premiers architectes du temps des archiducs (Coebergher, 1561-1634, et le jésuite Hoeimaker) dressent des façades inspirées du *Gesù* devant des églises fort proches de l'esprit gothique, et parfois même voûtées d'ogives. Une seule audace dans la carrière de Coebergher : le plan en heptagone de l'église de pèlerinage de Montaigu (1609).

Avec *Saint-Charles-Borromée* d'Anvers, le P. Huyssens (1577-1637) commence à indiquer une tendance (1615). La façade garde une silhouette italienne, mais elle a trois étages, et, si elle s'anime, c'est dans une direction « maniériste », opposée à celle de Maderno : colonnes cannelées, frises, prolifération du décor sculpté à l'intérieur de chacun des cantons délimités par les ordres, et de plus en plus intense à mesure que l'on approche du faîte. Même accumulation, même épaississement pittoresque des formes, dans la spacieuse nef à tribunes, et dans la chapelle annexe de Notre-Dame, dont la voûte compartimentée est en partie l'œuvre de Rubens. La tour superpose les thèmes Renaissance avec une ingéniosité qui annonce Wren. A *Saint-Loup* de Namur, le « terrible et délicieux catafalque » de Baudelaire, la platitude basilicale disparaît sous un décor d'une obsédante cohérence – colonnes cannelées à chapiteaux noirs, noires arcades chargées de claveaux saillants, stucs aux ondulations viscérales tassés contre les briques enfumées de la voûte.

Aux *Jésuites* de Bruxelles, aux *Augustins*, au *Béguinage* de Malines, J. Francart (1583-1651) élève ces façades dentelées à trois étages qui étirent en hauteur, tels des pignons de maisons flamandes, l'ordonnance de Vignole.

A *Saint-Pierre* de Gand (1629), c'est la coupole romaine que transpose Huyssens. Surélevée et étranglée, elle s'insère au croisement de deux bras de croix latine voûtés d'ogives. Surprenante rencontre avec le gothique qu'Hesius recherche encore, en 1650, à *Saint-Michel* de Louvain (v. PL. XIII). La façade resserrée de *Saint-Michel*, avec ses décrochements, ses couples de colonnes baguées, ses pinacles sommés de flammes, est le chef-d'œuvre du genre. Le sculpteur Faydherbe (1617-1697) entreprend en 1663 à Malines, enfin, l'une des seules églises belges où l'on cherche à créer un espace original, *Notre-Dame-d'Hanswijk* : une rotonde interrompt tant bien que mal une basilique dont le vaisseau médian est en berceau à caissons, les collatéraux en ogives. L'architecture civile fournit, à la *Grand-Place* de Bruxelles, un exemple célèbre de conservatisme : après le bombardement de 1695, les corporations reconstruisent leurs maisons selon la conception ancienne, en se contentant de mettre au goût du jour la décoration sculptée des étroits pignons en désordre.

▶ *Sculpture*

La sculpture de ce XVIIe siècle respectueux s'accorde, en dépit, ou à cause, de sa richesse un peu lourde, à la robustesse et à l'ampleur gothiques : les épaisses grilles de chœur, les tombeaux et les retables de marbre noir et blanc s'intègrent à merveille aux cathédrales, ainsi que les lambris qui noient les confessionnaux dans une sorte de réplique luxuriante des stalles, les statues qui, accrochées aux piles cylindriques du Brabant, en soulignent la monumentalité plus qu'elles n'animent l'espace – et surtout les chaires « naturalistes », hérissées de feuillages et veinées de racines, à l'ombre desquelles s'agitent, à partir de la fin du XVIIe siècle, des personnages pathétiques (cathédrale de Bruxelles et *Saint-Pierre-et-Saint-Paul* de Malines, chaires de H. F. Verbruggen, 1699, *Notre-Dame-d'Hanswijk*, chaire de Th. Verhaegen, 1743).

Sculpture liée fortement aux traditions régionales, et pourtant insérée, beaucoup plus que l'architecture, dans les courants européens les plus « modernes ». Jérôme II Duquesnoy (1602-1654), frère de François, le sculpteur installé à

Rome, et Artus Quellin (1609-1668), se sont formés en Italie. Ils prolongent d'ailleurs plutôt « l'algardisme » que le berninisme. Faydherbe connaît l'Italie à travers Rubens. Artus II Quellin (1625-1700) est plus proche du Bernin : il constitue peut-être l'un des relais de la pénétration de la sculpture du Bernin en pays germanique. Le *Dieu le Père* assis de la cathédrale de Bruges (1682) relie les Trinités des retables du XVIIIᵉ siècle allemand aux statues d'Urbain VIII. A la génération suivante, les commandes se raréfiant sur place, la Flandre exportera ses sculpteurs : le fils d'Artus II Quellin émigre en Scandinavie, Pierre Verschaffelt (1710-1793) et J. van der Auvera en Allemagne, les Slodtz en France.

▶ *Peinture*

La révolution que l'on attend vainement en architecture éclate dans un autre domaine : en 1608 Rubens, âgé de 31 ans, revient à Anvers. Il restera attaché à la ville de Brueghel; il y est socialement inséré; mais ce futur agent des Archiducs, qui connaît toute l'Italie et vient d'apporter au roi d'Espagne l'hommage des ducs de Mantoue, est déjà un personnage européen. Mieux : son art suscite un intérêt aussi vif, sinon aussi unanime, à Paris et à Londres que chez les Wittelsbach et les Habsbourg. Il est vrai que ce Londres est la capitale d'une dynastie condamnée, et que ce Paris est celle d'une reine italienne et douairière.

Révolution par rapport aux ateliers traditionalistes d'Anvers. Non point, comme dans le cas du Caravage, par rapport à l'ensemble de la peinture du Cinquecento. Rubens est allé capter l'héritage de l'Italie du Nord, il a saisi d'un seul coup le sens des recherches qui prennent une de leurs sources chez Michel-Ange, et qui, poursuivies surtout à Parme, à Mantoue, à Venise, aboutissent au Tintoret. Il sauve cet héritage et, par-dessus la tête des Bolonais, en transmet une partie aux générations suivantes. L'extraordinaire Flamand, qui a su quitter à temps la Cour des Gonzague, qui ne s'est pas italianisé comme tant d'autres, que Rome a intéressé, mais n'a pas séduit, apparaît en un sens comme le garant d'une continuité italienne. Fait significatif : en 1628-1630, quand le second voyage à Madrid et le mariage avec Hélène Fourment renouvellent légèrement son répertoire et sa manière, il remonte quelque peu dans le passé mais en suivant la même ligne : la rencontre décisive est alors celle des Titien de la collection de Philippe IV.

Autant que le Bernin, Rubens incarne aux yeux de notre époque ce qu'elle nomme « le Baroque »; plusieurs historiens, pour classer ses œuvres, ont pris cette dangereuse notion comme pierre de touche, et ont voulu distinguer dans sa carrière les phases de « Baroque intense » et les phases « classicisantes ». Anachronisme particulièrement flagrant : il n'existe vers 1610 aucune doctrine, aucune « langue commune », que l'on puisse qualifier de « baroque », et qu'un peintre puisse adopter ou trahir. Rubens ne s'est laissé impliquer dans aucun conflit analogue à celui de Sacchi et de Cortone, et n'a pas même connu l'équivalent de l'intermède « algardien » du Bernin. En fait, le problème est pour lui, comme dans une certaine mesure pour le Bernin, de prendre ses distances vis-à-vis d'un héritage fabuleux sans le « clarifier » comme les Carrache, de se rapprocher de ce que ses contemporains appellent « antique » et « nature » en exploitant à fond les découvertes « maniéristes ». Les triptyques de la cathédrale d'Anvers (1609 à 1612) illustrent si l'on veut cette recherche : la première version de l'*Élévation de la Croix* groupait des musculatures autour d'une diagonale; au fond, le Golgotha s'animait, pittoresque comme un chantier. Rubens unifie la version définitive en éliminant la traditionnelle et anecdotique crucifixion des larrons; en rapprochant le Christ de la verticale, il valorise Son visage, lui donne la primauté sur le spectaculaire effort des bourreaux, et confère à toute la scène une claire monumentalité. Il ne la *stabilise* pas pour autant : l'équilibre de la croix, au contraire, devient encore plus précaire, et elle impose une tension accrue aux bras qui la poussent et la tirent vers le haut. Même instabilité, même composition en diagonale dans la *Descente de Croix*. Mais les complaisantes anatomies ont disparu; l'enchevêtrement des gestes s'est resserré et estompé : ce n'est plus qu'un lien significatif et subtil, une nécessaire armature dans le bloc de sollicitude spontanément

PL. XIII – HESIUS. Saint-Michel. Louvain. ▶

formé autour du cadavre et du linceul. On oublie que l'attitude du saint Jean en robe rouge répète celle de la brute qui, dans l'*Élévation*, soutient la partie centrale de la croix, et résume, comme elle, nombre d'habiletés « fin de siècle » (v. PL. XIV).

Ailleurs Rubens semble cultiver pour eux-mêmes, exalter, le raccourci, la torsion et l'arabesque; il les associe à un prodigieux lyrisme de la couleur. Plutôt que la caractéristique de certains moments, ce déchaînement n'est-il pas, tout simplement, dans la logique de certains genres ? Les chevaux cabrés, les guerriers vus de trois quarts, les épieux obliques, des *Chasses*, de la *Mort de Decius Mus*, datent de la « décade apaisée » de la *Descente de Croix* et au terme de cette période, vers 1619, apparaissent à la fois l'*Enlèvement des filles de Leucippe* (v. PL. XX), avec son rinceau de corps nus, et la plus recueillie des œuvres du maître, la *Dernière communion de saint François*. Cette dualité indique d'ailleurs une des dimensions de Rubens : la peinture du Seicento, et même la sculpture, n'atteindront pas à cet humanisme épique et seule, en Italie, l'architecture conduira à leur apothéose à la fois la religion renouvelée et la Renaissance.

A partir de 1620, Rubens exécute ses tableaux religieux les mieux équilibrés et les plus denses (*Mages* de *Saint-Michel* d'Anvers, *Assomption* de la cathédrale, *Mariage mystique de sainte Catherine*), et aussi les grands cycles de *Saint-Charles-Borromée*, de la Galerie du Luxembourg, plus tard de Whitehall. Il dessine des séries de tapisseries, notamment pour les Carmélites de Madrid. Les lois du décor d'architecture, les proportions, les intentions apologétiques des commanditaires favorisent alors l'explosion d'un monde grandiose, rougeoyant et tourbillonnant, plein de chair et de nuages, de vent et d'armures étincelantes, de massifs personnages historiques emportés dans des rondes d'allégories. A l'aide des formes galbées et pleines que d'autres éclaireront d'une sensualité sans conséquence, ou pétriront avec une familiarité joviale, Rubens crée ce style de la grandeur qui a tant marqué le siècle de l'Absolutisme. Le rayonnement de ses tableaux de retable, de ses portraits et de ses paysages, l'influence qu'il a pu exercer sur un

◀ PL. XIV – RUBENS. *Descente de croix.*   PC-6

Velazquez, pâlissent au voisinage du triomphalisme international dont il fut l'initiateur et qui, menacé sans doute
par la rhétorique, ne cesse, entre ses mains ou au moins
dans son atelier, de susciter de miraculeux jaillissements.

On sait que Rubens a méthodiquement assuré sa position
européenne, grâce à ses hautes relations personnelles et
aussi grâce à l'habileté et à la notoriété des graveurs flamands.
Il tire parti à l'heure opportune, plus généralement, du
prestige d'Anvers, que la révolte hollandaise et les exactions
espagnoles ont matériellement ruinée, mais dont l'Europe se
souvient, pour quelques années encore, qu'elle a été l'une
des capitales de l'humanisme. Le peintre des gloires royales,
l'ami des Jésuites, est aussi le dernier représentant illustre
de cette civilisation urbaine que tendent désormais à
étouffer les Habsbourg et qui, dans la France des Bourbons,
va revêtir une tout autre signification politique. Les *Joyeuses
Entrées* pour lesquelles il dessine des arcs de triomphe anti-
quisants et luxuriants célèbrent les succcès des infants et
des archiducs, mais évoquent aussi, avec deux siècles de
retard, le libre hommage de cités puissantes et autonomes.
Rubens préfigure en un sens ce qui deviendra « l'Europe
baroque », mais indique en même temps ce qu'elle aurait
pu être si la plupart des oligarchies bourgeoises du Nord
n'avaient rallié la Réforme et si les autres ne s'étaient
noyées dans une société farouchement conservatrice, si
l'Espagne avait moins sévèrement subjugué l'Italie, si
Philippe II n'avait renié Charles Quint et l'héritage bourguignon.

En 1641, un an après Rubens, meurt Van Dyck, qui, d'une
vingtaine d'années plus jeune, avait travaillé dans son
atelier vers 1617. Van Dyck a passé en Italie les années 20
et en a rapporté un « vénétianisme » plus paisible que celui
de Rubens, à forte proportion de Titien. Le futur portraitiste des Stuarts ne voit pas dans un somptueux patrimoine
le moyen d'engager d'emblée de nouvelles spéculations,
mais une garantie d'élégance, de « perfection ».

Jordaens (1593-1678) n'a pratiquement pas quitté Anvers.
Il n'a guère emprunté à l'Italie qu'un « réalisme » venu du
Caravage, et qui dispute une partie de son œuvre à l'in-

fluence de Rubens. La postérité a retenu de lui essentiellement des évocations robustes de types populaires et des
variations exubérantes sur des thèmes relevant du folklore
flamand, ou au moins du folklore des ateliers anversois.
Dans le dos de Rubens et après sa mort, la Flandre se garde
d'expurger la Fable, elle la caricature. Le maître avait
transfiguré tout un pan de paganisme, Jordaens tend à en
réduire le souvenir à une euphorie de fin de banquet.

L'influence de Rubens marque, bien entendu, la peinture
flamande du XVIIe siècle ; moins peut-être, cependant, que
l'influence, plus immédiatement assimilable, de Van Dyck.
Mais Anvers nourrit aussi le caravagisme d'un Gérard
Seghers (1591-1651) ou d'un Théodore Rombouts (1597-
1637) et, surtout, maintient des traditions plus ou moins
liées à Brueghel, à l'interprétation « réaliste » de Brueghel.
David Teniers le fils (1610-1690) et Adrien Brouwer (1605-
1638) peignent des paysanneries, des cuisines et des tavernes,
des paysages. La nature morte et son annexe la scène de
chasse exigent une spécialisation plus poussée encore :
François Snyders (1579-1657), protégé du clan Brueghel
et collaborateur de Rubens, amoncelle des victuailles, étale
la blancheur des poissons morts, convulse les fauves trans-
percés par l'épieu ou accablés par une meute ; son élève
Jean Fyt (1611-1661), peu tenté par l'épopée rubénienne,
répartit le gibier en trophées apaisés ; le jésuite Daniel Seghers
(1590-1661), disciple de Jean, second fils du grand Brueghel,
acquiert une célébrité européenne pour ses bouquets minu-
tieux et ses Madones perdues parmi les guirlandes décoratives.

2 | le Saint-Empire
pendant la première moitié du XVIIe siècle

En 1597 meurt Canisius, l'apôtre de la « reconquête »
jésuite. Le catholicisme est réimplanté dans les possessions
héréditaires des Habsbourg sauf la Bohême, à Salzbourg,
au Tyrol, en Bavière, dans les trois électorats ecclésiastiques
du Rhin, Cologne, Mayence et Trêves, dans les évêchés du

Main, Würzbourg et Bamberg. Il s'appuie, en Souabe,
sur des seigneuries épiscopales et monastiques. Un peu
partout, et jusqu'au bord du lac de Constance, la plupart
des villes d'Empire lui ont échappé.

Il s'agit d'un catholicisme de combat, dont les cadres ont
été marqués, directement ou non, par l'Espagne, et qui,
avec la même résolution que ses adversaires, se prépare à la
guerre. Gardons-nous malgré tout de rendre trop étanche la
séparation entre les deux Allemagnes. Elles sont étroitement
imbriquées. En Franconie l'inflexible Nuremberg et les
margraviats luthériens de Bayreuth et d'Ansbach entre-
tiennent des rapports constants avec Würzbourg, fief de
la Contre-Réforme, qu'administre l'évêque Echter, pré-
curseur des Schönborn. Dans Augsbourg catholiques et
protestants se côtoient. A deux lieues de l'abbaye d'Ottobeuren, futur haut lieu du « Baroque souabe », les bourgeois
de Memmingen demeurent fidèles à l'austérité évangélique.
La ligne de démarcation, d'autre part, est encore précaire :
en vertu du *cujus regio ejus religio*, une conversion de prince,
le passage par héritage à une branche collatérale, peuvent
entraîner un État d'un camp à l'autre. Signes de la complexité
de la situation : le renouveau gothique, qu'encouragent
parallèlement vers 1610, ici les Jésuites, là le protestant
Jules-Henry de Brunswick-Wolfenbüttel, et la diffusion,
sur l'Elbe comme sur le Danube, de l'ornementation « maniériste » du Flamand Vredeman de Vries et du Strasbour-
geois Dietterlin.

Peu à peu toutefois, tandis que la solidarité avec la Hollande se précise au nord, un nouvel italianisme, bien dis-
tinct de celui qui, prolongeant la Renaissance « classicisante »,
inspire jusqu'en 1646 le grand architecte d'Augsbourg
Elias Holl, prend pied au sud, dans les postes avancés de
l'ultramontanisme. Deux fondations décisives : *Saint-Michel*
de Munich (1583-1597) et la cathédrale de Salzbourg (1614).
Saint-Michel, dont d'importants travaux à la résidence ducale
précèdent et suivent la construction, témoigne de la brusque
« montée » des Wittelsbach associés à la Contre-Réforme et
aux Jésuites, et de leur capitale Munich, qui commence à
éclipser sa voisine Augsbourg. Une seule nef, comme à

Salzbourg. A Salzbourg il est vrai le Comasque Santino Solari, s'il renonce aux bas-côtés prévus primitivement, fait communiquer les chapelles entre elles, et garde un transept fortement saillant et une coupole à la croisée, alors qu'à Munich les chapelles sont fermées, et rien n'interrompt la large et lourde voûte en berceau. D'un côté un ample et lumineux édifice, où l'on rêve de basilique ; de l'autre une sorte de salle plus écrasée, calée par deux rangées d'épais arcs de triomphe. Mais ces divergences ne portent que sur des modalités ; l'important, c'est qu'un nouveau style a passé le Brenner, plus ou moins fils de Vignole et de l'Alberti de *Saint-André* de Mantoue ; il sert, dans ce premier temps, à la gloire des villes épiscopales et princières, jeunes rivales des *Reichsstädte* « libres », bourgeoises et commerçantes.

Pendant le premier tiers du siècle, un certain nombre de fondations jésuites commenceront à assurer la prédominance de l'église à nef unique (Dillingen, 1616, et deux capitales de fiefs Habsbourg, Innsbruck et Vienne, 1627).

3 | l'Allemagne proprement dite entre la Paix de Westphalie et la fin du siècle

A la fin de la Guerre de Trente Ans, les statuts confessionnels apparaissent comme définitifs et l'on relève les ruines. La rupture avec le gothique s'avère alors beaucoup plus nette qu'aux Pays-Bas : à partir des données italiennes acclimatées entre 1580 et 1620 au nord des Alpes, dans quelques grandes villes point trop éloignées des cols, l'Allemagne catholique se constitue une architecture religieuse sans éclat, mais cohérente et « moderne ». La basilique à dôme se survit aux *Théatins* de Munich (1663, Barelli, puis Zuccalli), à la cathédrale de Passau (1668, Lurago), au couvent de *Haug*, à Würzbourg (1670, Petrini), Les Bénédictins de Kempten font en 1661 une tentative malheureuse pour coordonner une nef triple et un chœur octogonal. Mais les maîtres maçons d'une modeste corporation du Vorarlberg, après avoir travaillé sous la direction des Italiens ou des Suisses des vallées méridionales, commencent vers 1660 à prendre la tête des chantiers, notamment dans les couvents de Souabe et de Suisse. Ils travaillent sur un schéma de base, une sorte de *Gesù* simplifié, l'église à *Wandpfeiler*, à contreforts intérieurs, sans coupole, presque sans transept et en principe sans bas-côtés. Les *Wandpfeiler*, épais et courts pans de mur perpendi-

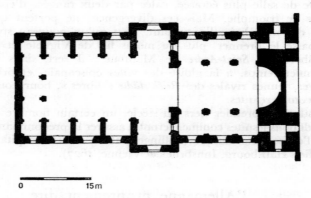

0   15m

Fig. 6 – Eglise de l'abbaye d'Obermarchtal (M. Thumb)

culaires au mur goutterot, délimitent des chapelles latérales : en faisant varier le nombre et les proportions des chapelles, le dessin et la hauteur de la tribune qui les surmonte, en perçant ou non les *Wandpfeiler*, les maîtres du Vorarlberg donnent une physionomie à chacune de leurs églises, Schönenberg (1682), Obermarchtal (1686) (v. PL. xvi), Disentis et Friedrichshafen (1695), Irrsee (1699), Rheinau (1604).

Structure économique et fonctionnelle, indifférente à l'aspect extérieur et supportant docilement les aménagements internes : le Vorarlberg rencontre ici deux autres traditions corporatives, celle des stuqueurs et celle des huchiers et des sculpteurs sur bois.

La technique du stuc est venue d'Italie mais elle a repris racine à Wessobrunn. Partis de ce hameau de Haute-

Bavière, les Schmuzer, les Ueblhör, les Feichtmayr couvrent,
entre Alpes et Main, les voûtes des Thumb, des Beer et des
Moosbrugger d'épais motifs blancs, tantôt stylisés, presque
géométriques, et tantôt naturalistes, acanthes et rosaces,
cornes d'abondance et bottes d'asperges, qui ne laissent
aucune place à la peinture et soulignent les structures avec
une vigueur rustique. Le chêne et le tilleul des retables, ce
sont au contraire, en général, des artisans du cru qui les
taillent et les ajustent. Au début du siècle les retables, tel
celui d'Ueberlingen, étaient devenus monumentaux, mais
leur rôle consistait encore avant tout à présenter et encadrer
des statues ou des scènes sculptées. Vers 1680 ils s'articulent
sur un grand tableau central et leur ordonnance relève de
plus en plus clairement de l'architecture. Ils impriment au
fond et à l'entrée des chœurs, avec leurs colonnes, leurs
anges immobiles et leurs saints encore hiératiques, de forts
accents brun et or, noir et or. Ainsi se constituent ce beau
style anguleux et massif, comme empreint de rudesse mon-
tagnarde, cette harmonie un peu écrasée et statique que les
Allemands nomment *Hochbarock*, et dont le chef-d'œuvre
est la blanche abbatiale des Prémontrés d'Obermarchtal,
en Souabe (Michel Thumb, 1640-90).

4 | Pologne

La première moitié du XVIIe siècle, sombre période pour
l'Allemagne, offre au contraire à la Pologne une sorte de
sursis. Les règnes de Sigismond III Vasa et de Ladislas IV
prolongent le *Siècle d'Or*, l'ère de la Grande Pologne. La
Contre-Réforme et les Jésuites ont triomphé, mais sans vio-
lence, et nul ne remet en question leur victoire. Jusqu'à la
terrible crise provoquée vers 1650 par les guerres suédoises, la
deuxième vague d'italianisme, la vague « vignolesque »,
recouvre l'architecture monastique.
En 1600, Giovanni Trevano construit pour la Compagnie
Saint-Pierre-et-Saint-Paul de Cracovie, *Gesù* noble, orthodoxe
et grisâtre. Parti similaire chez les Camaldules de Biélany
(1609), chez les Bernardins de Kalwaria (1605), où certaines

des chapelles latérales, cependant, s'ériigent en monuments autonomes, se coiffent de coupolettes, et où deux tours massives, parti transalpin résolument maintenu, ici comme en Allemagne, contre l'Italie, calent de hautes et inertes façades à pilastres. Plus porté à l'initiative, Christophe Bonadura accentue lourdement la croisée du transept des Bernardins de Sierakow (1624) en encastrant les pilastres les uns dans les autres avec une sorte de verve gratuite; il pose *sur le chœur*, non sur la croisée, la coupole de Grodzisk (1628).

Le décor doit beaucoup encore au siècle précédent : les stucs gardent la finesse géométrique de ceux de Lublin (chœur de Sierakow), avant de s'épaissir, de ronger les surfaces, à la manière des stucs du *Hochbarock* allemand (Uchanié, 1625); des façades comme celle des Camaldules de Rytwiany (1624), avec leurs bords ondulés et leur ponctuation de pyramides acérées, diffèrent totalement des modèles italiens et s'inspirent du « maniérisme » flamand. Venus sans doute par Danzig, les motifs de Vredeman de Vries descendent loin vers le Sud : nous les retrouvons vers 1630 aux ailerons de la façade des Bernardins de Lwow et au pignon qui la surmonte, curieusement posés sur une frise à triglyphes.

L'architecture civile se livre elle aussi à de savoureuses combinaisons. Les secs frontons de la Renaissance italienne, en triangle ou en segment, voisinent avec les lourds linteaux sculptés de la Renaissance nordique, des *loggie* florentines, semblables à celle qu'à la même époque Waldstein faisait ouvrir sur son jardin de Mala Strana, allègent des palais à hauts toits cantonnés de tours (évêché de Kielce, 1637); à Poddebice (1610), la loggia s'ouvre dans un pignon de la plus pure tradition septentrionale, et surmonte des arcades dont les piliers bagués viennent de Mantoue ou de Vicence.

CHAPITRE IV

L'EUROPE CENTRALE
ENTRE DEUX SIÈCLES

Vers 1660, alors que les Pays-Bas du Sud entrent en léthargie et que l'Allemagne travaille, pour une trentaine d'années encore, sur des données qui remontent au xvie siècle, un grand renouvellement s'amorce dans les régions orientales de la catholicité transalpine. Les États héréditaires des Habsbourg, qui ont moins souffert que l'Allemagne de la Guerre de Trente Ans, et où une très relative homogénéité accélère la diffusion des découvertes méridionales, prennent la tête de ce mouvement. On peut, avec beaucoup de nuances, leur associer la Pologne de ce roi de transition qu'est Jean Sobieski (1674-1696).

1 | Bohême et Moravie : l'architecture jusque vers 1715

On connaît la situation exceptionnelle des deux provinces tchèques, occupées, après la Montagne Blanche, par un nouveau clergé et une nouvelle aristocratie venus de Belgique, d'Italie, d'Allemagne, des quatre coins de « l'autre Europe ». L'empereur ne réside plus à Prague, mais la vieille cité vaincue demeure, intellectuellement et artistiquement, une sorte de seconde capitale, où les « magnats » liés aux Habsbourg, les Lobkowitz, les Gallas, les Kinsky, les Schwarzen-

berg, auront, indépendamment de leurs châteaux en province, un palais de rechange, et qui entretiendra avec Vienne,
pendant un siècle, une précieuse émulation et de féconds
échanges. Waldstein s'était installé en 1623 sur la rive
gauche de la Vltava. Plus loin vers l'ouest, à l'extrémité du
Hradschin, le comte Czernin fait bâtir en 1668 un formidable palais, digne d'un souverain, par un homme du lac
de Lugano, Francesco Caratti. Les éléments proviennent
encore du Cinquecento : l'emprunt à Palladio est sensible
dans l'ordre colossal de la façade tournée vers la ville,
cynique dans les baies de la façade sur le jardin. Pourtant,
en comparant la première de ces façades à celles du palais
Waldstein ou du *Clementinum*, l'Université jésuite (1634),
nous voyons le détail s'estomper, la cadence supplanter la
juxtaposition, une forte unité monumentale surgir, une
densité, qui évoquent invinciblement la Rome contempo-
raine. Influence ou rencontre – cette haie de colonnes
dressées raide sur un socle savamment grossier, renvoie au
palais Chigi.

Or en 1676, à l'église *Saint-Michel* d'Olomouc, nef allongée,
mais couverte de trois coupoles alignées, se manifeste un
souci de transformer l'espace intérieur nouveau au nord des
Alpes. Les éléments du vocabulaire italien changent de sens :
la coupole n'accentue plus, n'isole plus, *un* point central,
mais tend au contraire à donner une personnalité à *chaque
partie* de l'édifice, *tout en indiquant clairement sa place dans un
système hiérarchisé.*

En attendant que, sous d'autres influences, le problème
reçoive une solution parfaite, un Bourguignon qui a passé
vingt ans à Rome, J.-B. Mathey, introduit à Prague un
style qui doit beaucoup au Bernin : ses deux églises, les
Chevaliers de la Croix (1679) et *Saint-Joseph* de Mala Strana
(1682), dérivent l'une du carré, l'autre du cercle. Dans ses
œuvres civiles, *palais de l'Archevêque* (1675), château de
Troja (1679), *palais de Toscane* (1689), Mathey assagit les
surfaces, en élimine les éléments décoratifs de l'époque
précédente, et, inversement, anime les volumes, complique
la hiérarchie des masses en surélevant certains corps,
la souligne en faisant hardiment varier la forme et les

dimensions des fenêtres. L'escalier du jardin de *Troja* donne un double exemple à l'Europe Centrale : il dresse en plein air des statues pathétiques, et dramatise un dénivellement grâce aux atlantes tordus sous le balcon, et au déboulement sur la rampe des Géants foudroyés par Jupiter.

On se souvient que, dès 1679, Guarini envoyait à Prague les plans d'une église destinée aux Théatins. Le projet satisfaisait, en alignant trois coupoles sur une nef rectangulaire, le goût local pour l'individualisation des travées dont témoignent *Saint-Michel* d'Olomouc et, plus prudemment, l'abbatiale de Waldsassen, construite à la fin du siècle aux confins de la Franconie par une équipe venue de Prague : le vaisseau central de Waldsassen est couvert de voûtes bombées, semblables, nervures en moins, à celles du gothique angevin, que l'on nomme, précisément, *böhmische Kappen*. Un Bavarois de 45 ans installé depuis sa jeunesse à Mala Strana, Christophe Dientzenhofer, va, de ces données, tirer un style dans la première décade du XVIIIᵉ siècle.

▶ *Le premier Dientzenhofer*

Christophe Dientzenhofer emprunte à Guarini les piles qui s'avancent comme des coins dans la nef : les arcs qui, dans la classique église à *Wandpfeiler*, seraient de simples doubleaux parallèles, destinés à rompre la monotonie d'un berceau ou à séparer des voûtes d'arête, partent donc maintenant de supports disposés de biais, et montent en diagonale vers la ligne des clefs. Comme leur inclinaison par rapport à la verticale peut varier, et comme les piles ne se succèdent pas nécessairement à intervalles égaux, beaucoup de combinaisons deviennent possibles. L'architecte peut faire alterner des voûtes de hauteur et de portée différentes. A Oboriště (1702) la travée centrale se dilate aux dépens de ses deux voisines, encore mise en valeur par une coupole peinte en trompe-l'œil. A *Sainte-Claire* de Cheb au contraire la travée intermédiaire marque un temps faible, un étranglement entre deux épanouissements, une retombée entre deux bombements (1708). *Sainte-Marguerite* de Brevnov (1709)

entrecroise deux cadences, offre deux possibilités de scansion :
les accents peuvent tomber sur les *böhmische Kappen* qui
correspondent aux travées de la nef, mais sur lesquelles les
arcs obliques empiètent, que la décoration fragmente et
« ferme », ou sur les morceaux de voûtes intermédiaires,
sortes d'ovales résiduels qui surmontent les piles et que des
fresques exaltent, ouvrent sur le ciel. A *Saint-Nicolas* de Mala
Strana (1703), Dientzenhofer avait élargi au maximum les

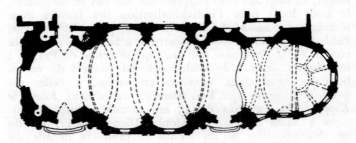

Fig. 7 – Sainte-Marguerite de Brevnov

« voûtes inter-travées ». Transposons en termes gothiques :
nous aurons pour partie essentielle le losange formé, après
effacement du doubleau, par les nervures de deux croisées
contiguës. A la génération suivante, *Saint-Nicolas* subira
d'importantes transformations, mais la formule sera reprise
en Allemagne. Il reste de la création de Christophe Dientzenhofer, à défaut des voûtes contrapunctiques, les supports
de biais, les tribunes ondulantes, la merveilleuse plasticité
qu'annoncent les concavités et les convexités emboîtées de
la façade. A Brevnov, la notion même de façade semble
périmée ; c'est toute la masse extérieure de l'église, avec ses
saillies et ses redents, son jeu de colonnes et de pilastres, sa
corniche ininterrompue et fortement dentelée, ses gables
coiffés d'accents circonflexes, qui exprime l'agitation interne.
Pour la première fois, la leçon de Borromini et de Guarini
est pleinement comprise, et l'on peut parler sans doute de
la naissance d'un « baroque tchèque ».

2 | l'Autriche

A Vienne, la Paix de Westphalie n'a pas apporté une tranquillité complète : il reste les Turcs. L'empereur Léopold Ier fait ajouter à la Hofburg, en 1660, une aile sobrement rythmée par des pilastres peu saillants; C. A. Carlone élève l'église des *Neuf-Chœurs-des-Anges,* dont la façade s'enfonce entre deux pavillons, dégageant une terrasse qui préfigure celle de Melk. Mais c'est seulement après la dernière invasion ottomane, brisée au Kahlenberg par Jean Sobieski en 1682, que la ville osera se moderniser sans réticences, et s'épanouir hors les murs. Deux palais, construits encore par des Italiens, demeurent les principaux témoins de cet éveil légèrement moins rapide que celui de Prague : le *Lobkowitz,* de G. P. Tencala, dont la longue façade à l'appareil compliqué garde – gardait surtout, avant les adjonctions « centralisantes » de Fischer von Erlach – un peu de la grâce nonchalante du maniérisme nordique, et le *Liechtenstein,* de D. Martinelli, plus ramassé, plus imposant, plus « romain ».

La grande période viennoise coïncide avec les vingt premières années du XVIIIe siècle, les années de l'obscurcissement de Versailles, des victoires du Prince Eugène et de l'expansion vers l'est, dont la paix de Pojarevats marque en 1718 le point extrême. Vienne, où meurt en 1709 le F. Pozzo, héritier de P. de Cortone, où Leibniz, en 1714, dédie sa *Monadologie* au Prince Eugène, devient le centre de « l'autre Europe », et deux architectes rivalisent pour la rendre digne de ce rôle, Fischer von Erlach et Hildebrandt.

▶ *Fischer von Erlach*

Johann Bernard Fischer von Erlach (1656-1723) est exactement contemporain de Christophe Dientzenhofer, mais le Baroque qu'il a rapporté d'Italie est moins « avancé » que celui du virtuose de Mala Strana. S'il tient compte de Borromini et de Guarini, c'est plutôt pour incurver, pour animer ses façades que pour bouleverser l'espace intérieur. Ainsi à la *Trinité* de Salzbourg (1694) où une concavité accentuée

aux ailes, souvenir de *Sainte-Agnès,* du côté borrominien de la
place Navone, nous attire vers l'entrée d'une nef ovale qui
est, elle, d'une simplicité berninesque. Ainsi en même temps,
à l'*église de l'Université,* où un porche ventru, proche du

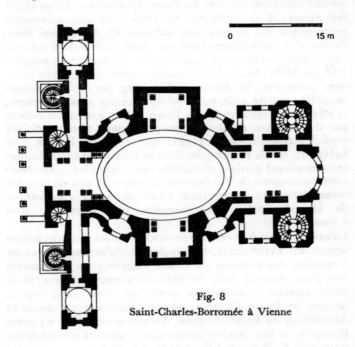

Fig. 8
Saint-Charles-Borromée à Vienne

palais Carignano de Turin, cache une très classique croix
grecque à coupole centrale, aux hauts murs rectilignes.
Lorsque Fischer, passé à Vienne, doit exprimer dans l'église
votive de *Saint-Charles-Borromée* (1716) la grandeur impériale
et la joie du pays délivré de trois fléaux, la peste, Louis XIV
et le Grand Turc, il reprend l'un de ses thèmes de Salzbourg :
une très large façade, en son milieu, effleure l'extrémité d'une
nef ovale et lui donne pour grand axe sa médiatrice. Mais
l'excès voulu des disproportions change tout ; la façade est

si étirée, les pavillons d'angle si éloignés, qu'il a fallu, pour les coordonner avec l'énorme coupole, dresser dans l'intervalle les deux fameuses « colonnes trajanes ». Allusion évidente à un site romain, au forum impérial qui associe lui aussi l'image de la grandeur antique à la silhouette d'une église chrétienne, rappel d'une continuité que Leibniz voulait souligner en plaçant au sommet des colonnes la statue d'un duc autrichien du Moyen Age et celle de Charlemagne (v. PL. XVII).

▶ *Hildebrandt*

La conception de *Saint-Charles* est génialement hétéroclite, mais l'Antiquité a fourni la plupart de ses éléments, et elle donne, conformément à son programme, le sentiment de la stabilité. Johann Lukas von Hildebrandt (1668-1745), plus résolument « moderne », s'éloigne davantage de la majesté du Bernin. A *Saint-Laurent* de Gabel, en Bohême, les volumes s'enchevêtrent comme à l'église homonyme de Turin. Il est tentant d'opposer le massif mouvementé et ouvragé du *Belvédère*, château suburbain du Prince Eugène (1714), au Schœnbrunn de Fischer, qui pèse tout le poids de ses lignes horizontales, de son interminable corniche et de ses rangées de pilastres au garde-à-vous. Dans Vienne même, aux deux extrémités de la place du Freyung, le *Daun-Kinsky* de Hildebrandt, avec ses trophées, ses frontons en omega ou en accent circonflexe, ses *estipites* colossaux ornés de guirlandes et de cannelures et son portail en forme de retable, répond au sobre et linéaire *Battyany-Schönborn*, dont Fischer a simplement encadré la grand-porte de deux urnes dans des niches. Mais il ne faudrait pas pousser trop loin l'opposition. Fischer a donné, au palais urbain du Prince Eugène (v. PL. XVIII) et à la *Chancellerie de Bohême*, de magnifiques exemples de façades tendues, comprimées, scandées de puissants reliefs, chargées de contrastes de lumière et d'ombre. Les deux architectes ont également contribué à tirer de la trame Chigi le palais viennois avec ses quatre ou même cinq niveaux, son *piano nobile* à frontons sculptés, ses portails symboliques, ses balcons écrasant des atlantes. Ils ont transformé l'escalier d'apparat, thème dont nous avons vu chez Longhena l'une des plus belles interprétations italiennes. Chez le Prince

Eugène comme au palais Kinsky, il ne s'agit plus d'associer la troisième dimension à la dignité calme, mais à l'effort, à la surprise, au pathétique; on lui sacrifie les deux autres pour mieux l'exalter. Espace aux mesures truquées, devenu qualitatif, devenu oppression, gémissement, aspiration vers la lumière.

A une heure de carrosse de la Hofburg, l'empereur a Schœnbrunn. Le Prince Eugène a le Belvédère. Les grandes familles auront, elles aussi, sur les vastes terrains extérieurs à l'enceinte, des *Gartenpaläste*, d'une architecture plus détendue que les palais qui dominent les étroites rues de la Vienne médiévale. C'est Hildebrandt qui a trouvé, pour les Schwarzenberg et les Stahrenberg, la formule la plus élégante : un étage noble à peine séparé du sol et deux longues ailes articulées sur une rotonde (v. Pl. xix).

▶ *Prandtauer et les abbayes du Danube*

Outre le « Baroque impérial », seigneurial et urbain, l'Autriche heureuse a son « baroque monastique ». Les vieilles abbayes de la vallée du Danube, Saint-Florian, Melk, Dürnstein, Göttweig, font, pendant le premier tiers du siècle, reconstruire, ou redécorer, leurs églises, agrandissent et rationalisent leurs bâtiments conventuels. L'idée impériale, en vérité, n'est nullement absente de ces énormes constructions qui, tel l'Escorial, marquent fortement le paysage et semblent toujours, avec leurs trop vastes appartements d'apparat, leurs *Kaisersäle*, sanctuaires pompeux et vides à la gloire des Habsbourg, attendre une visite princière. Mais l'Empire se fait ici provincial et conservateur, voire rustique.

Le principal architecte de Saint-Florian et de Melk, le Tyrolien Jakob Prandtauer (1660-1726), sait mieux organiser de grandes masses que raffiner sur les proportions et les structures. Ses églises sont, en gros, des variations sur le *Gesù*, « en retard » sur Brevnov ou sur *Saint-Charles* de Vienne. C'est un maître-maçon, à qui manquent l'érudition et l'imagination poétique d'un Fischer, la science mathématique et la formation cosmopolite d'un Hildebrandt. Nulle carrière ne permet mieux que la sienne de caractériser l'un des milieux qui, en opposition totale avec celui de la Cour, des grandes familles terriennes, militaires ou épiscopales, favori-

Pl. xvi – M. Thumb. Obermarchtal. ▶

sèrent le développement d'*une* des « architectures baroques »;
de le caractériser, précisons-le, dans sa relative complexité,
et sans le considérer, si forte que soit la tentation, comme le
produit du sympathique et indestructible « terroir autrichien ». L'abbaye de Melk est une des plus en vue, des plus
intelligemment réformatrices à ses heures, du monde bénédictin. Ses étroites relations avec la Congrégation de Saint-
Maur témoignent de son refus de l'isolement et de la stagna-
tion. Ce que l'artisan montagnard Prandtauer apporte
vers 1690 sur les bords du Danube, ce n'est pas un ensemble
de traditions folkloriques, c'est le langage *déjà international*
que maniait son prédécesseur immédiat Carlone, qu'assouplissent et enrichissent plus à l'ouest les hommes du Vorarlberg, qui dominait Prague même avant Mathey, du temps
de Lurago, une sorte de dialecte alpin, évidemment d'origine
italienne, mis au point et diffusé, pendant tout le xviie siècle,
par les descendants des *maestri comacini*, les maçons migra-
teurs des hautes vallées et des lacs. « Provincialisme » assurément, mais dans la mesure où les importations datent d'un
siècle, et ont été assimilées, expérimentées, débitées en recettes
de chantier, schématisées ou combinées, au sein des corporations, sous l'œil de ces mécènes tâtillons et peu portés aux
largesses, mais sans inconséquence et toujours solvables, les
abbés des grands monastères.
Au reste, si les églises de Prandtauer innovent peu, si le
faste de leur décoration intérieure paraît déjà un peu sombre,
un peu lourd pour l'époque, ses chefs-d'œuvre, l'escalier de
Saint-Florian (1706), la façade de Melk (reconstruction
commencée en 1702), avec ses deux pavillons à pilastres et
la terrasse à pic sur le Danube, apportent de magnifiques
solutions à des problèmes d'avenir (v. PL. xxv).
Avec Joseph Munggenast, neveu et continuateur de Prandtauer, associé pendant un certain temps à l'ingénieur-
sculpteur viennois Matthias Steinl (1644-1727), l'architecture des capitales force le monde monastique à quelques
compromis : l'ovale de l'église d'Altenburg (1730) évoque
Fischer von Erlach, les tribunes de celle de Dürnstein (1721)
ondulent fortement à la manière praguoise, et sont percées
de larges lunettes qui transforment quatre des chapelles

◄ PL. XVII – FISCHER VON ERLACH. Saint-Charles-Borromée.   PC-7 latérales en puits, comme à l'*église de l'Université* de Salzbourg. Munggenast et Steinl ont su également, à Dürnstein, exploiter le site danubien ; mais leur tour ne domine pas toute la vallée, comme les tours de Melk : elle apparaît inopinément à qui descend le fleuve, accrochée à flanc de pente, et comme plantée de biais parmi les bâtiments conventuels (v. Pl. xxi).

3 | la Pologne de Jean Sobieski

Des guerres suédoises émerge, sous la conduite du vainqueur du Kahlenberg, du chevaleresque sauveur des Habsbourg, une Pologne où s'étiole définitivement la vie urbaine, et où s'affirme de plus en plus violemment l'indiscipline des propriétaires terriens. Grande occasion pour l'architecture que ce lendemain de crise. Les traditions du Siècle d'Or ne sont pas éteintes, comme en témoigne encore telle maison à façade surchargée construite à Torun après 1690. Mais les artistes étrangers imposent et commentent avec plus ou moins de liberté, ici comme ailleurs, une partie des trouvailles du Seicento. Ici comme ailleurs également, lorsqu'on ne peut ou ne veut reconstruire, on modernise les deux pôles de l'espace intérieur des églises, la chaire et le maître-autel. Pôles de force inégale, bien entendu ; le décor de la chaire n'est, comme la parole, qu'une préparation, qu'un relais, qu'un prologue. Le regard doit se diriger sans hésiter vers le grand retable dont l'architecture stable et anguleuse, la polychromie discrète, la statuaire figée, demeurent, à la fin du xviie siècle, proches du style de la période précédente. Les structures de l'édifice médiéval au fond duquel se dresse le retable ne sont pas encore noyées, ni même contredites. Il faut souligner, en songeant par exemple à l'église de la *Fête-Dieu* de Cracovie, l'accord entre la svelte puissance des décors d'autel et l'élan des chœurs gothiques ; les hautes et étroites fenêtres en fer de lance accompagnent dans leur montée, et prolongent, comme si elles les avaient toujours attendues, les colonnes de bois sculpté.

Le Hollandais Tylman de Gameren (1630-1706), ingénieur dans l'armée royale à partir de 1672, acclimate en Pologne,

un peu comme l'avait fait Mathey à Prague, un « berninisme »
modéré, un « rainaldisme » éclectique; il apporte, en fait de
monumentalité et d'opulence néo-romaines, juste ce qu'il
fallait pour échapper à l'attraction exclusive de Vignole.
La reine Marie le charge, en 1688, d'élever pour les Dames
du Saint-Sacrement une église qui commémore la victoire
sur les Turcs : il en fait une sobre croix grecque. Même
« classicisme » à *Saint-Boniface* de Varsovie-Czerniakow.
A *Sainte-Anne* de Cracovie, loin de la capitale, il reprend le
parti plus archaïque du *Saint-Pierre-et-Saint-Paul* de 1600,
en se contentant de percer les *Wandpfeiler* pour retrouver
l'ampleur basilicale, de souligner les ressauts de l'entablement, et de juxtaposer les peintures et les stucs.
La recherche aboutit à des résultats plus pittoresques en
« Grande Pologne » : l'architecte des *Carmélites* de Poznan
invente une façade pyramidante à trois étages où la monumentalité naît du seul jeu des pilastres, sans recours au
relief madernien ni à la surcharge flamande. Dans la
nef des *Jésuites*, achevée par Catenaci en 1701, un écran de
colonnes cannelées camoufle en partie le tracé des murs,
comme à *Santa-Maria in Campitelli*. L'octogone des *Philippins*
de Gostyn pastiche la *Salute*, mais Catenaci et ses successeurs
ont donné une personnalité à l'extérieur de l'édifice en
accentuant la saillie des chapelles périphériques et en
intercalant entre deux d'entre elles, fragment saugrenu d'un
décor venu d'ailleurs, une façade étriquée à clochetons.
Lorsque Gameren construit des châteaux, son italianisme
s'estompe. Au *palais Krasinski* de Varsovie (1682-1694),
la partie noble, au-dessus du socle à bossages, doit certes
l'essentiel de sa dignité, à première vue, à l'habituel ordre
colossal. Pourtant, regardons de plus près : un discret
chapiteau interrompt, à la frontière du premier et du
second étage, la montée des pilastres; les fenêtres tendent
finalement, sauf au pavillon médian, à se classer en bandes
horizontales. Et surtout, on perçoit dans la stricte balustrade qui borde le toit, dans le fronton isocèle qui stabilise
l'ensemble, dans les hautes fenêtres en plein cintre, l'affleure-
ment d'une autre tradition. Nous ne sommes pas très loin
de la lignée du Chigi, mais il semble que, dans cette large

façade étale, quelque chose soit venu de France. Au tournant du siècle, le formidable rayonnement de l'architecture de Louis XIV commence à perturber le système d'échanges de « l'autre Europe ».

Nieborow (1690) a toute la grâce d'un château du XVIIIe siècle, tant le Hollandais y utilise avec discrétion, de part et d'autre d'un fronton régulier et d'un balcon central, tous deux très occidentaux, quelques éléments – tours d'angles, linteaux armoriés – du vieux répertoire local.

Mais l'œuvre la plus séduisante du règne est sans doute le palais de *Wilanow* (v. PL. XXII) construit par un Italien, Agostino Locci, à partir de 1680, dans la banlieue de Varsovie. Vaste *Gartenpalast* hybride, avec de longues ailes basses dont le rythme évoque curieusement celui du Grand Trianon, un pavillon central d'allure palladienne, un agencement de volumes dont l'heureuse complexité rappelle parfois les châteaux de J.-B. Mathey, et beaucoup de décoration plaquée, de guirlandes et de médaillons dans le goût maniériste. Le grand sculpteur Andreas Schlüter a travaillé à *Wilanow*, comme au *palais Krasinski*. Notons toutefois que la décoration, à l'intérieur notamment, a été en grande partie reprise sous les rois saxons, vers 1730.

4 | Bohême et Moravie : la sculpture

Personne, à Vienne, ne retrouvera l'inspiration des créateurs Fischer von Erlach et Hildebrandt. Le fils de Fischer, Joseph Emmanuel (1693-1742), est très sensible aux influences de l'Ouest. Il termine la *Bibliothèque Impériale* que Johann Bernard lui-même, d'ailleurs, avait voulue très apaisée, dépouillée, à l'extérieur, des ardents reliefs du début du siècle, et il construit à la Hofburg, en se souvenant de Robert de Cotte, la longue nef à tribunes de *l'École d'Équitation* (1729). En 1753 le Lorrain Jean-Nicolas Jadot, amené à la Cour de Marie-Thérèse par son mari le duc François, construit « à la française » la *Vieille Université*. En Bohême et en Moravie au contraire, dans ces provinces relativement marginales, une nouvelle génération, née

entre 1680 et 1690, poursuit jusque vers le milieu du siècle
la recherche intense et originale dont les œuvres de Christophe Dientzenhofer ont marqué le premier aboutissement,
et achève de donner au pays cette physionomie qu'il a
gardée mieux qu'aucun autre en Europe.

▶ *Sculpteurs du XVIIᵉ siècle*

Si les villes et les champs portent ici, pour notre plaisir,
une marque indélébile, ils le doivent en partie à la sculpture.
Le terrible grès de Bohême, dont la poussière tuait les
sculpteurs à 40 ans, a pérennisé un monde de héros, de
saints et d'allégories aux façades des églises et des palais,
aux carrefours, sur les ponts, à flanc de colline et au bord
des terrasses. Le mouvement avait commencé en 1650 par
l'érection de la première « colonne de la Vierge » sur la
place de la Vieille Ville de Prague, commémoration de la
Paix de Westphalie et hommage à l'Immaculée Conception
– double leçon pour ce quartier de bourgeois hérétiques.
Quelques années plus tard, J. J. Bendl, sur commande des
Jésuites, installait ses statues d'évêques au balcon de *Saint-
Sauveur*. Nous avons noté en passant les Géants foudroyés de
l'escalier du parc de Troja, œuvre de deux Saxons, G. et
P. Herman. Vers la fin du siècle, au moment même où
l'architecture dépasse le Bernin, la vague du berninisme
déferle sur la statuaire, libère les formes et apporte un vocabulaire nouveau, angelots virevoltants, faux rocher de la
Fontaine du Parnasse de Brno (1696), tritons de la fontaine
d'Olomouc (1701), personnages légers répartis dans une
gloire (maître-autel des *Chevaliers de la Croix*, attribué à
M. W. Jäckel, 1701). En même temps naissent des types
iconographiques, et notamment le *Saint Jean Népomucène*
au rochet barré d'un crucifix oblique et à la couronne
d'étoiles qui, avant même la canonisation officielle, se
répandra dans toute l'Europe Centrale. En 1682 le sculpteur
slovaque Johann Brokoff fait fondre à Nuremberg le *Saint
Jean Népomucène* du pont Charles. En posant à son tour,
en 1698, un *Saint Wenceslas* équestre sur le pont qui joint
Mala Strana à la Vieille Ville, le Padouan Mosto donne l'idée
d'en faire cette allée de statues qui éclipsera le *pont Saint-Ange*.

▶ *F. M. Brokoff et M. G. Braun*

La plupart des grands sculpteurs de Prague travailleront pour le pont, Jäckel, J. F. Kohl, M. J. J. Brokoff. Le plus célèbre est Ferdinand-Maximilien Brokoff (1688-1731), fils de Johann et frère du précédent, auteur de plusieurs groupes complexes et pittoresques, *Sainte Barbe, sainte Marguerite et sainte Élisabeth* (1707), *Saint Gaëtan, saint François Borgia, saint François-Xavier* (1711). Par rapport au berninisme intégral de son contemporain et concurrent, le Tyrolien M. G. Braun (1684-1738), Brokoff représente une sorte de *Hochbarok* assoupli, personnalisé; ce n'est pas le lyrisme qui chez lui délie les contours, mais un « réalisme » modéré, accordé à la majesté des missionnaires tridentins qu'il glorifie, comme au ridicule débonnaire des païens subjugués par leur éloquence. La frontalité est bien loin déjà, mais les grands gestes demeurent rares. Le tourment des atlantes, aux portails des palais, s'exprime avec une relative discrétion, avec le minimum de courbes : une moue bougonne sur un visage de portefaix more, c'est tout ce qui traduit le poids du balcon du palais Morzin, alors que le balcon du Clam-Gallas écrase, martyrise, deux groupes tragiques de Braun, quatre esclaves aux muscles crispés, aux bras emmêlés. Les draperies de Brokoff n'amplifient pas les mouvements, mais les accompagnent, les lestent, et, grâce à quelques obliques proches de la verticale, confèrent aux héros une monumentalité paisible. L'attitude du *Saint Jean Népomucène* de Horin (1725), dont le visage barbu respire une mansuétude venue du XIIIᵉ siècle, semble calculée tout exprès pour animer les vêtements sans les tordre, sans que le vent paraisse avoir prise sur eux. Ainsi s'explique sans doute que ce descendant d'artisans slovaques ait pu, à la cathédrale de Breslau (*chapelle de l'Électeur*, 1716) et à Vienne, marier sa sculpture à l'architecture hautaine d'un Fischer von Erlach. Lorsque Braun sculpte le bois ou façonne le stuc, lorsqu'il décore des retables, son berninisme acéré et gracile annonce le rococo (*Saint-Clément* de Prague, 1715), et se distingue surtout par sa précocité. Mais nul n'a retrouvé le ton de sa sculpture de plein air – aigles aux contorsions hallucinantes du portail Kolowrat, *Temps* rugueux, décharné, spectral, de Čitoliby, vertigineuses *colonnes de la Vierge.* La *Colonne de la Trinité* de Teplice projette dans le ciel les Trois Personnes juchées sur un globe en porte à faux; le monument impérial de Hlavenec dresse en rase campagne, sous un étrange édicule tripode surmonté du cerf de saint Hubert, un *Charles VI* à l'antique. Braun ajoute au pont Charles une *Vision de Sainte Luitgard* et un *Saint Yves* et, vers 1710, passe sous la protection du comte Sporck, fils d'un combattant de la Montagne Blanche, mais d'un combattant roturier, d'une sorte de Simplicius qui aurait eu de la chance et de la suite dans les idées. Magnat par la grâce du mousquet paternel et de l'Empereur, Sporck semble un peu en marge de la société des Kinsky, des Bucquoy et des Lobkowitz; bouillonnant de curiosités et de projets, il met Braun en mesure de réaliser deux des entreprises les plus originales du temps, la série des *Vices* et des *Vertus* de la terrasse de l'hôpital de Kuks (1719), et les inquiétants rochers sculptés de la forêt de Bethléem. A Prague même, utilisant encore la nature et le site, Braun décore le *jardin Vrtba,* dont les terrasses et les escaliers dominent Mala Strana; les statues et les urnes se mêlent aux arbres, courbées et délitées comme des buissons à l'automne. L'un des pôles de la sculpture tchèque est, avec Brokoff, à *Saint-Charles-Borromée,* à Vienne, l'autre, avec Braun, dans la vallée perdue de Kuks, et sur les pentes inhabitées qui font face au Hradschin. Merveilleux instant d'équilibre, miracle de cet amalgame qui fonde le précaire empire des Habsbourg : la coupole à la romaine accueille, derrière les colonnes qui perpétuent le souvenir de Trajan, l'héritier des ateliers d'Europe Centrale, et le disciple du Bernin matérialise, dans le vent, le soleil et la neige, les rêves d'un fils de reître westphalien.

5 | Bohême et Moravie : l'architecture au XVIIIᵉ siècle

Vers 1700, le prestige grandissant des Viennois s'impose dans l'architecture civile. Mais de Fischer et de Hildebrandt on retient surtout, à Prague comme sur les grands domaines

ruraux, le schéma des *Gartenpaläste*. Aussi bien la Prague
de 1700 admet-elle peu de palais sur le vieux terroir urbain :
si les Gallas parviennent à insérer une très solennelle façade,
dessinée par Fischer lui-même, parmi les ruelles de la rive
droite de la Vltava, la plupart des autres familles s'installent
au bord des jardins, à Mala Strana ou au Hradschin.
L'idée de départ, aux *palais Sternberg* et *Lobkowitz* comme
au château de Liblice (G. B. Alliprandi, 1639) – comme
au tout récent *Gartenpalast Schwarzenberg* –, consiste à
brancher deux ailes sur un corps cylindrique ou ellipsoïdal
plus élevé. D'où naîtront la haute masse à contrecourbes
du *Lobkowitz*, qui rappelle aussi le *palais Carignano* de
Guarini, et les charmantes ordonnances à quatre pavillons en croix de Karlshof ou de Weltrus. A Chlumec
trois pavillons, de façon plus originale encore, se combinent
avec la rotonde.

▶ *Aichel*

On doit Chlumec (1721) au plus brillant représentant de la
génération « entre deux siècles », J. Santini Aichel, petit-fils
d'un des innombrables artisans du bâtiment venus d'Italie
du Nord à la fin de la Guerre de Trente Ans. Aichel est
célèbre pour son « gothicisme », et notamment pour les
voûtes à nervures entrelacées des églises de Sedlec (1703),
Kladruby (1712) et Zeliv (1726). Impossible de déterminer
à coup sûr, dans ces surprenantes réalisations, la part des nos-
talgies des moines, et celle des goûts de l'artiste. La fonction
de ces réseaux d'arcs, d'autre part, n'apparaît pas avec évidence, et Aichel a sûrement senti avant tout la valeur décorative des *formes* du gothique tardif. La voûte de Sedlec n'est
après tout qu'un berceau à « pénétrations » profondes. Mais
cette structure réelle ne contredit pas le « décor » archaï-
sant : à mesure que les « pénétrations » s'approfondissent,
un berceau ne se rapproche-t-il pas d'une voûte d'ogives ?
Le lyrisme flamboyant d'Aichel exprime de façon déconcertante mais bien significative la passion de la Bohême « guarinienne » pour les voûtes, et sa sympathie réfléchie pour un
système qui joue avec les poussées, les renvoie aux piles,
quitte à paraître les diluer en route, à en rendre le chemine-

PL. XVIII – FISCHER VON ERLACH. Palais de ville du prince Eugène. ▶

ment illisible parmi la prolifération des « liernes ». Aichel explicite et développe les allusions de Dientzenhofer.

Mais il existe un autre Aichel, dont on peut chercher les sources, en amont de la révolution turinoise, chez Borromini : c'est celui des chapelles centrées, de *Sainte-Anne* de Panenské Brezany (1705), du *Saint-Nom-de-Marie* de Mladotice (1708),

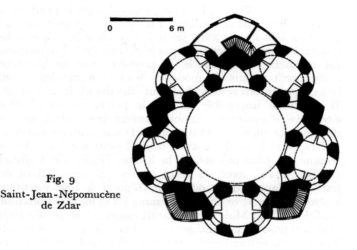

Fig. 9
Saint-Jean-Népomucène
de Zdar

triangle et hexagone aux murs extérieurs concaves, aux savants et sobres espaces intérieurs faits de bombements contredits par des niches. Sur cette série se greffe celle des églises de pèlerinage, également centrées mais plus complexes, croix grecque de Krtiny et de Marianske Tynice, pentagone de *Saint-Jean-Népomucène* de Zdar (1719). Le déambulatoire qui enferme complètement la nef de Zdar est formé de cinq ellipses soudées entre elles par cinq triangles curvilignes : souvenir des cinq étoiles qui flottèrent sur la Vltava lorsqu'on y eut précipité le martyr du secret de la confession. Les nervures gothicisantes reparaissent ici, avec les arcs en tiers-point, mais avouent clairement leur caractère décoratif.

▶ *Problème des églises de pèlerinage*

C'est le moment de poser, sinon de résoudre, le problème capital des églises de pèlerinage. L'âge baroque, qui a favorisé la circulation des idées et des images, a plutôt restreint celle des personnes. La dévotion populaire s'unifie et se régionalise à la fois : tel culte se répand d'Anvers à Palerme et de Wilno à La Plata, mais chacun le pratique à quelques lieues de son village. En dépit des grands travaux entrepris à la fin du XVIIᵉ siècle à la grande basilique galicienne, l'Europe ne retrouve pas le chemin de Saint-Jacques. En revanche, une liturgie et peut-être une architecture s'organisent autour de modestes Vierges miraculeuses, au lieu d'apparitions restées confidentielles depuis le XIVᵉ siècle. Il est certes impossible de lier le pèlerinage et l'édifice « centré »; d'autant que la notion même de « centralisation » est floue. Le plan de Krtiny comporte une évidente symétrie par rapport à ses deux axes, mais il peut aussi se « lire » comme un plan orienté. A la limite, l'église de Rajhrad (Aichel, 1722), avec ses deux ovales qui s'équilibrent de part et d'autre d'un octogone, répond à une intention « centralisante »; or son programme est celui de l'abbatiale traditionnelle... Mais ce qui paraît assuré, c'est que l'intérêt croissant pour les pèlerinages régionaux a facilité le renouvellement de la pensée architecturale en Europe Centrale à partir de 1680. Les artistes ne se sentaient pas liés par les traditions et les considérations fonctionnelles qui commandaient depuis des siècles la conception des églises paroissiale et conventuelle. Construisant un édifice petit, où la foule défile plus qu'elle ne séjourne, ils pouvaient oublier l'ancestrale prudence structurale, risquer des voûtements originaux. L'église de pèlerinage enfin, destinée par définition à « frapper » le fidèle, à l'attirer, à lui laisser un grand souvenir, à l'arracher aux routines de la piété quotidienne, se devait de fuir la banalité du plan rectangulaire, de chercher le pittoresque, au besoin le tour de force. Au surplus elle était souvent isolée, mise en valeur par une position élevée, visible de loin : son aspect extérieur comptait donc beaucoup plus que celui de l'église de tous les jours. Ainsi se forme ce

« type » qui, « centré » ou non, prolonge à travers les deux premiers tiers du xviiie siècle les plus excitantes spéculations du Seicento, dont Zdar est l'une des plus parfaites expressions, et dont les caractéristiques viennent, après une longue éclipse, de resurgir sur la colline de Ronchamp.

▶ *Le second Dientzenhofer*

Les multiples significations du plan centré, l'œuvre de Kilian-Ignace Dientzenhofer (1689-1751), fils de Christophe, nous les rappelle une fois de plus. Dans les années 20, à Nicov, chez les Ursulines du Hradschin, il s'agit d'une réaction classicisante, anti-guarinienne, explicable chez un contemporain, formé à Vienne, du fils de Fischer. Mais dès 1726 à *Saint-Barthélemy* de Prague, vers 1730 à Legnickie Pole, en Silésie, puis de nouveau à Prague *(Saint-Jean-Népomucène-au-Rocher)*, Kilian-Ignace revient à la subtilité, à la fluidité. Nous retrouvons les travées qui interfèrent, les arcs gauches, de Cheb ou de Brevnov. Mais le premier des Dientzenhofer s'acharnait sur le rectangle à *Wandpfeiler*; son fils introduit la ligne ondulante dans des nefs carrées ou ovales. Ses murs, comme souvent ceux d'Aichel, s'incurvent vers l'intérieur, comme pour ébaucher un « anti-espace », et le creux s'ouvre vers l'extérieur. Il crée de clairs espaces fondus, couverts par de larges coupoles plates échancrées d'arcatures, et que ponctuent, au lieu des piles puissantes de Christophe Dientzenhofer, de légères colonnes blanches. Dans la dernière phase de sa carrière, Kilian-Ignace insiste de nouveau sur les articulations, rend aux frontons leur intégrité et leur poids, aux étages leurs frontières. Les convexités et les concavités sont sévèrement bannies de l'octogone de *Saint-Nicolas de la Vieille Ville* (1732) (v. Pl. xxiii). Une admirable façade à rythme ternaire, ultime avatar de *Sainte-Agnès*, dresse sur la place médiévale ses deux tours et sa coupole. Enfin, reprenant à *Saint-Nicolas de Mala Strana*, en 1740, l'œuvre de son père, Kilian transforme le chœur et la croisée, camoufle sous une immense fresque les nervures de la nef, et construit la tour et la coupole sur tambour qui évoquent quasi anachroniquement dans le ciel de Prague, pour la dernière fois, la majesté romaine.

CHAPITRE V

LE SETTECENTO

I | l'urbanisme romain

L'ère des découvertes est passée. La politique pontificale vacille, et les souverains catholiques la tiennent de plus en plus pour négligeable. Rome demeure une capitale aux yeux du monde civilisé, mais c'est la capitale d'un empire mort : les papes exercent avec une dévotion croissante les fonctions de conservateurs des Antiquités. Les trouvailles décisives de ce temps, ce seront des champs de ruines. Lorsque, en 1763, Clément XIII nomme Winckelmann directeur général des Antiquités romaines, le passé semble avoir reconquis la ville de Borromini...

Deux des pontificats du XVIIIe siècle, ceux de Benoît XIII (1724-30) et de Clément XII (1730-40), ont pourtant achevé la « Rome baroque » que nous chérissons aujourd'hui, ont apporté la grâce et le pittoresque à l'épique cité d'Urbain VIII, d'Innocent X et d'Alexandre VII. Il ne s'agit pas à proprement parler d'un mouvement architectural : les hommes nés entre 1680 et 1700 n'imagineront ici aucune structure, ni même aucun style décoratif nouveau. A la façade du *palais Doria Pamphili* (1731), Valvassori abolit la « centralisation » et la scansion verticale du palais berninesque et, en échange, charge son *piano nobile* de linteaux d'allure danubienne. A *Sainte-Marie-de-la-Mort* (1732) Fuga donne une version exsangue des jeux de tuyaux d'orgue de *Saint-Vincent-et-Saint-Anastase*. La façade de *Saint-Jean-de-*

Latran (Galilei, 1733), c'est une masse madernienne ajourée à la manière de Palladio. L'exemple de la Vénétie semble avoir commandé cette prédominance des vides sur les pleins. Fuga reprendra le principe à *Sainte-Marie-Majeure*, mais en substituant le schéma pyramidant à la superposition cortonesque de deux éléments égaux.

Le génie de ces architectes de l'arrière-saison romaine consiste plutôt à sceller un paysage à l'aide d'un monument (l'église du *Saint-Nom-de-Marie*, de Derizet, vient en 1736 faire pendant, au bord du Forum de Trajan, à la *Notre-Dame-de-Lorette* de Sangallo), ou encore à créer un paysage autour d'un monument-prétexte. La place devant *Sainte-Marie-de-la-Paix* n'était que l'espace respiratoire de la façade de Pierre de Cortone. A la Place d'Espagne en revanche, la vieille église de la *Trinité-des-Monts* ne sert plus que de lest et de toile de fond : l'essentiel, c'est désormais le somptueux aménagement du site, ce sont les escaliers de F. de Sanctis (1723), version tridimensionnelle de la place romaine avec ses contours subtils et ses accentuations centrales. Place Saint-Ignace, Raguzzini, en 1727, nous invite à tourner le dos à la façade des Jésuites : il bâtit en vis-à-vis trois maisons roses et concaves en forme de décor de théâtre ; au sortir des ruelles qui les séparent, les passants ont l'air d'acteurs surgissant des coulisses. Il est vrai que le théâtre peut se retourner, et que l'on peut aussi s'adosser aux légères « fabriques » de Raguzzini : la grise église du début du Seicento se dresse alors comme un mur de scène antique face à l'hémicycle. La *Fontaine de Trevi*, commencée par Salvi en 1732, terminée en 1762, néglige absolument l'architecture préexistante. L'église de Longhi, *Saint-Vincent-et-Saint-Anastase*, paraît oubliée en un point quelconque de la place. Mais la place elle-même disparaît, mangée par le bassin, écrasée par les ordres colossaux du fond, par l'agitation grandiose de la scène mythologique. Théâtre bien sûr, opéra, mais réduit à la scène, imposant au promeneur un brusque tête-à-tête avec le ruisselant Neptune; urbanisme pathétique et sentimental, où s'attarde Rome au temps des « Perspectives », des capitales géométriques, au temps de la reconstruction de Lisbonne.

2 | architecture piémontaise

La Maison de Savoie se hisse, à la faveur des guerres de Louis XIV, au niveau des grandes familles régnantes. Un instant roi de Sicile, le duc Victor-Amédée II reste au bout du compte roi de Sardaigne. La position géographique de ses États, la variété de ses alliances matrimoniales, la complexité de sa politique, le placent au point de rencontre des deux Europes. Un habile Sicilien à qui Carlo Fontana a enseigné ce qui, du Baroque romain, peut s'intégrer à un éclectisme, Filippo Juvarra (1678-1736), tirera parti de cette situation.

▶ *Juvarra*

Merveilleux décorateur de théâtre à trente ans, Juvarra, enterrant avec pompe ici un Habsbourg, là un Bragance, demeurera toute sa vie le grand expert international pour les mises en scène princières. Devant le *palais Madama*, il élève en 1718 une sorte de narthex qui contient un noble escalier, mais dont l'utilité principale est de présenter aux Turinois un rideau de colonnes, de balcons et de pilastres inspiré de Versailles. Au pavillon de chasse de Stupigini (1729) il reprend sur le mode massif, à l'échelle royale, le plan à rotonde et ailes en croix de Saint-André inventé par Fischer von Erlach et utilisé en Bohême pour de plus modestes châteaux. A Superga encore (1717), il n'innove guère ; combinant avec son habituelle maîtrise de sûres valeurs européennes, il donne son expression parfaite au thème qui obsède les deux premières générations du siècle, l'église de pèlerinage, ou l'église votive, posée sur un sommet comme sur un piédestal : il faut comparer cet académisme splendide aux savoureuses incertitudes du sanctuaire de la *Madone-de-Saint-Luc*, élevée quelques années plus tard par Dotti au-dessus de Bologne... La basilique de Superga est d'esprit berninesque, jusque dans le néo-classicisme précoce du portique ; les tours, elles, viennent de Borromini. Les lourds bâtiments conventuels qui poussent l'église vers le bord de la colline, afin qu'on l'aperçoive de la ville et de la plaine, évoquent les monastères du Danube.

Vers 1730, peu avant son départ pour Madrid, où il recommencera à « faire du Bernin », Juvarra s'éloigne, dans ses travaux turinois, du vocabulaire romanisant : l'église du *Carmine*, les projets pour une cathédrale, éliminent la coupole sur tambour et tendent vers un espace intérieur unifié.

▶ *Les continuateurs de Guarini*

Mais, laissant le Premier Architecte du roi mettre la grandeur à la portée de toutes les Cours, une architecture proprement piémontaise poursuivra jusqu'en pleine réaction classique une quête toute pénétrée de l'inquiétude guarinienne. A Turin même, Garove et Plantery se souviennent des courbes du palais Carignano. En province, grâce à des hommes encore mal connus, Robilant, Michela, Vaj, Ferrogio, Buniva, se multiplient les sanctuaires intimes, rustiques et savants. Les paroisses sans mécène, les confréries, les petits couvents féminins choisissent par force le luxe des pauvres, la structure originale et complexe, qui dispense du matériau de prix, de la décoration ruineuse. Un homme se détache, Bernardo Vittone (1704-1770), éditeur de l'*Archittetura Civile* de Guarini (1737) et virtuose, comme son maître, des plans centrés et des coupoles équivoques. A la petite chapelle de *Valinotto*, commandée pour ses ouvriers agricoles par un propriétaire raisonnable dans sa munificence (1738), à *San Bernardino* de Chieri (1740), à *Sainte-Claire* de Brà (1742), il superpose les voûtes, la plus basse formant une simple trame de nervures, une claire-voie, ou un écran échancré, effrangé, à travers lesquels l'œil entrevoit des cimes symboliquement illuminées. A l'*Hospice* de Carignano (1749), à *Santa-Maria di Piazza*, chef-d'œuvre rose et vert du XVIIIe siècle turinois (1751), à Villanova di Mondovi (1755), Vittone s'attaque au vieux problème du raccord de la coupole à des murs à angle droit. Il refuse la solution classique du pendentif et, retrouvant l'esprit d'un procédé médiéval, la trompe, accuse l'antinomie du cercle et du quadrilatère, sertit précieusement la dissonance. Ultimes gauchissements du matériau, apothéose de la vieille stéréotomie que Desargues est loin d'avoir arrachée complètement à l'empirisme : ces problèmes relèveront bientôt de l'ingénieur, et cesseront de stimuler la réflexion des architectes.

3 | architecture napolitaine et sicilienne

En 1734 les grandes puissances gratifient l'Italie du Sud d'un souverain à initiatives, Charles III, fils de Philippe V d'Espagne. Pour ce Bourbon « éclairé », comme pour son arrière-grand-père Louis XIV, construire est un acte de gouvernement. San Felice (1675-1750) ne doit peut-être pas grand-chose aux impulsions royales quand il enrichit d'extraordinaires escaliers les cours des palais napolitains. Mais lorsque Vanvitelli (1700-1773) est enlevé au pape, c'est pour exécuter un programme politiquement significatif. Ses principales œuvres sont l'actuelle place Dante, désignée à l'époque sous le nom révélateur de *Foro Carolino*, et le palais gigantesque de Caserta, commencé en 1752. On retrouve à Caserta l'Escorial et Versailles, et le « grand style » international qu'illustra Juvarra et que Vanvitelli interprète avec quelque froideur classicisante. Les vestibules octogonaux du bâtiment médian sauvent ce mastodonte avec leurs escaliers et leurs soleils de perspectives théâtrales.

Peu de liens unissent cet art d'une Cour cosmopolite à celui de la province, qui n'a guère évolué depuis 1650, depuis le temps des vice-rois espagnols. Le « baroque des Pouilles », par son goût des surfaces surchargées, suggère d'ailleurs des parentés ibériques. Les maîtres de Lecce sont Zimbalo (*Cathédrale*, 1659-82, *Rosaire*, 1691) et Cino, plus jeune et plus ouvert à Rome. La façade de *Sainte-Croix*, terminée au milieu du Seicento, chargée de monstres-consoles médiévaux et barrée de frises Renaissance, témoigne du conservatisme et de la virtuosité combinatoire de cet art.

Provincialisme moins marqué en Sicile. Giacomo Amato (1643-1732), l'un des grands architectes de Palerme, a passé dix ans à Rome. G. B. Vaccarini (1702-1768), qui a reconstruit Catane, détruite, comme plusieurs villes de la côte orientale, comme le fameux bourg de Noto, par le tremblement de terre de 1693, s'est formé chez Carlo Fontana ; il assure le triomphe, sur la dentelle « churrigueresque », d'un romanisme à nuance parfois borrominienne (*Sainte-*

Agathe, palais de la Municipalité, vers 1735). La façade de la cathédrale de Syracuse, attribuée à Picherali (1668-1746), est une svelte transposition, à la fois tendue et aérée, de *Santa-Maria in Campitelli.* Celle de *Saint-Georges* de Ragusa superpose trois étages, comme il arrive en Espagne ou en Flandre, mais les groupes de trois colonnes échelonnées lestent de gravité monumentale ce jaillissement en lui-même peu romain.

Tandis que s'ordonne cette reconstruction grandiose, le caprice se réfugie dans les stucs rococo de Serpotta (1656-1732) et la déraison dans les villas des environs de Palerme. Les monstres et les héros ridicules de Bagheria, villa des princes de Palagonia, sculptés vers 1746, ne tarderont pas à symboliser, aux yeux de l'Europe *éclairée,* la « futilité » et le « mauvais goût » de l'époque qui s'achève.

4 | peinture

Le Settecento, grand siècle de peinture italienne, naît à Naples avec une quarantaine d'années d'avance sur le calendrier, lorsque Luca Giordano (1634-1705) combine avec le colorisme du XVIe siècle vénitien un style romain déjà fortement marqué, en la personne de P. de Cortone, par Venise. Ce créateur inépuisable, ce virtuose qui connaît toutes les écoles et a assimilé leurs leçons, qui a voyagé à travers toute l'Italie et qui termine le siècle en Espagne, décorant l'Escorial et *Buen Retiro,* a voué deux ou trois générations au mouvement et aux teintes lumineuses, a achevé d'imposer ce bonheur de peindre que, vers 1760, tuera Mengs.

Solimena (1657-1747), Napolitain lui aussi, mais qui attend la gloire à Naples, poursuit, dans une grande partie de son œuvre, une recherche du même ordre. Les foules de ses fresques se rattachent au courant épique qui, jadis, a abouti à Naples, venant d'Italie du Nord, avec Lanfranco, et en est reparti avec Mattia Preti. Après la mort, en 1713, du Romain Maratti, qui fut l'un des professeurs de l'Europe, Solimena devient à son tour une sûre valeur internationale;

ses élèves, de Mora, Giaquinto, règnent à Turin et
à Madrid. Une tout autre peinture napolitaine, plus originale sans
doute, celle de Salvator Rosa (1615-1673), improvisateur
inquiet, paysagiste « pré-romantique », chercheur de détails,
dispensateur de taches fébriles, exercera une influence
décisive, en même temps que les gravures de Callot, sur la
formation de l'étrange et attirant Gênois, Alessandro
Magnasco (1667-1749). « Le Lissandrino » a laissé des
paysages et des scènes de genre, et de larges tableaux allègres
où les uns se mêlent aux autres, comme le *Divertissement
dans un jardin d'Albaro*. Mais sa découverte c'est, pour rassembler deux des mots qu'emploie à son sujet A. Chastel,
une sorte d' « impressionnisme fantastique », qui donne un
saisissant pouvoir aux scènes de martyre et aux scènes
macabres, telle la bagarre entre squelettes et détrousseurs
de sanctuaires de *Santa-Maria di Campomorte* (1735), et
transforme en *caprices* tragiques les évocations de groupes
de bohémiens, de fidèles rassemblés à la Synagogue, d'épisodes de la vie monastique. Les moines de Magnasco sont
de dérisoires silhouettes perdues dans des perspectives
architecturales trop grandes pour elles, disloquées par la
vivacité elliptique de la touche. L'âme s'évanouit en couleurs, comme dans les grandes fresques de la fin du Seicento,
l'humanité se dissout en un papillonnement de taches sur
fond immuable d'arcades et de voûtes, mais la tonalité
ironique et sombre change tout ; la transmutation s'accomplit
non plus au-dessus de nos têtes, dans le ciel du miracle,
mais sur le chevalet tout proche, à partir de personnages
que l'artiste feint d'emprunter à « la vie » (v. Pl. XXVI).
Monde fantastique encore, monde de l'imaginaire, que celui
des nombreux peintres de décors et metteurs en scène
d'opéra de l'Italie du Nord, mais né cette fois de l'utilisation exclusive du vocabulaire architectural, fondé sur la
rigueur du dessin, sur l'approfondissement maniaque des
lois de la perspective, sur l'implacable technique, enfin
livrée à elle-même, de la *quadratura*. Le centre de la « scénographie baroque » est Bologne ; V. M. Bigari y est né en 1692 ;
peut-être est-il mort en Russie, après avoir été peintre officiel

de l'électeur de Cologne. Il situe d'infimes scènes-prétextes, tel le *Festin d'Absalon*, dans des salles d'apparat démesurées mais théoriquement *possibles*, où se superposent colonnades, tribunes ondulantes et balcons en porte à faux. Les Galli, plus connus sous leur surnom de Bibiena, nous donnent, par leurs pérégrinations de Cour en Cour, de théâtre en théâtre, les dimensions de l'Europe baroque (Ferdinand, 1657-1743, François, 1659-1739, Joseph, 1696-1757). Aux colonnades parallèles et fuyantes de Torelli, aux enfilades de portiques de Pozzo, ils substituent le décor « en coin » : deux perspectives obliques se rencontrent à peu près au milieu de la scène, écartelant d'autant plus savamment le regard du spectateur qu'elles comportent des dénivellations, et se matérialisent souvent dans des escaliers.

De l'école de la *quadratura* proviennent aussi l'exactitude, la fidélité minutieuse, de G. P. Pannini (1691-1765), maître de la *veduta* romaine. A travers Pannini, la ville des papes débonnaires et érudits, la ville de Benoît XIV, avec ses places toutes neuves, ses parcs et ses basiliques peuplées d'indifférents, prend son visage discrètement coloré, un rien Louis XV... En attendant qu'elle retrouve sa gravité avec l'aquafortiste vénitien G. B. Piranese (1720-1778). Les recueils des *Prisons* (1744), des *Vedute* (commencé en 1746), des *Antiquités romaines* (1756) mêlent le lyrisme à la précision scientifique. Les ruines qui seront bientôt toisées et poncées par Winckelmann jaillissent ou pèsent, se hérissent de végétation parasite, se disjoignent, vivent tout comme les fragments de la Rome moderne, comme une fontaine de Sixte Quint ou la montée du Capitole. La pierre imaginaire des *Prisons*, avec ses cassures pleines d'ombre, ses verrues et ses stries, impose une présence encore plus obsédante; elle introduit une menaçante opacité dans le délire structural de Bigari et des Bibiena. Ce ne sont plus des ordres abstraits qui construisent l'espace, indiquent des perspectives, soulignent les diagonales, mais des poternes d'hypogée, des piles chargées de charpente grisâtre, des tourelles-miradors. Envers de décor, monde usé et indestructible, où l'ivresse savante de la première Renaissance conduit au vertige, monde à contre-jour. L'éclairage dirigé du Bernin vient mourir ici : il ne tombe plus d'une coupole, mais d'un soupirail (v. PL. XXVII).

▶ *Venise*

Après avoir agi, pendant plus d'un siècle, par personnes interposées, la peinture vénitienne reprend pendant le deuxième tiers du Settecento une importance européenne.

En architecture, Venise a donné très tôt le signal du retour au passé; si l'église des Jésuites (Rossi, 1715) prolonge le baroque romain, le *Saint-Nicolas-de-Tolentino* de Tirali est, dès les premières années du siècle, résolument néo-classique, la façade des *Jésuates* (Massari, 1725) plagie Palladio et *Saint-Siméon-et-Saint-Jude* (Scalfarotto, 1718) figure, à l'entrée du Grand Canal, une sorte de Panthéon ovoïde. Les peintres au contraire vont tirer toutes leurs conséquences, dans diverses directions, des fougueuses inventions de Giordano.

La *grande* peinture, c'est d'abord G. B. Piazzetta (1683-1754), premier directeur de l'Académie Vénitienne. Il oscille entre un *tenebroso* violent, théâtral, qui vient par Bologne du fond du Seicento, du Caravage, et la lumière légère de son temps; il va de l'anguleuse composition de l'*Apparition à saint Philippe de Neri*, où l'Enfant Jésus lui-même comporte une moitié de nuit, où le manteau de la Vierge semble ne se déployer que pour assombrir la terre, à l'envol de l'*Assomption* peinte en 1735 pour l'archevêque de Cologne, où la stupéfaction des Apôtres se résume en un grand geste lumineux. Vers 1740, en dépit d'incursions dans d'autres genres *(La Devineresse)*, sa manière tend vers la convention. Mais il a ravivé l'une des traditions italiennes, et frayé les voies de l'homme qui va l'incarner aux yeux de toute l'Europe, G. B. Tiepolo (1696-1770).

Les Italiens ont enseigné à l'Europe l'art de la fresque monumentale et cet art, au début du XVIIIe siècle, devient un peu partout une *koïnè*, le complément parfois machinal de toute architecture noble, qu'y ronronne le berninisme ou qu'y frémisse le souvenir de Guarini. La force (et la faiblesse) de Tiepolo, est de s'être emparé de cette *koïnè*, comme trente ans plus tôt Juvarra l'avait fait dans son domaine, de lui avoir en hâte apporté les ultimes perfectionnements, et d'avoir, joueur suprêmement habile, « fait la levée » à Venise même, à Milan, en Allemagne, en Espagne, en Russie où il n'est pas allé, mais où il a envoyé des toiles. A Würtzbourg en 1750, en coiffant de fresques le grand escalier et la salle d'apparat de la Résidence épiscopale, il contribue à l'apothéose du rococo allemand. Sa mort même à Madrid, face à l'hostilité grandissante des peintres néo-classiques, constitue, pour les amateurs de symboles, une réussite.

La spécialité de Tiepolo, c'est le ciel, qui l'emporte sur les architectures feintes, qui enveloppe et transfigure sans les écraser les multiples personnages et leurs costumes aux teintes légères. Sa lumière se situe à l'opposé exact de la lumière *luministe* : il fait revivre, écrit A. Chastel, « la lumière de midi, la belle atmosphère diurne de Véronèse ». D'immenses trouées ensoleillent les voûtes, euphoriques laïcisations de l'Infini qu'ont passionnément poursuivi les fresquistes du Seicento. Sur les murs du *palais Labia*, de la *villa Valmarana*, la lumière se dépouille de ses derniers pouvoirs symboliques ; c'est un poudroiement poétique sur les personnages falots de la mythologie et du roman, c'est la chaleur méditerranéenne dont protègent, sans éteindre les rouges et les bleus, sans faire d'autre ombre que dorée, les galeries et les portiques. Dans le Vicentin de Palladio, le dernier des peintres virtuoses tente, une fois de plus, de rafler les enjeux : il installe, au milieu d'une Antiquité de fantaisie, les héros gracieux et à demi parodiques qu'elle paraissait attendre depuis deux cents ans.

Une tradition de la scène de genre, du tableau familier, s'est maintenue en Italie à travers tout le xviie siècle. Elle remonte aux Flamands et aux Hollandais, et aussi à Annibal Carrache. Elle a inspiré la « bambochade » romaine. Elle aboutit, à travers le Bolonais G. M. Crespi, au fameux et anodin Pietro Longhi (1702-1785), chroniqueur vif, léger, amusé, de la vie vénitienne, de la société qui a produit Goldoni, de la cité vieillissante et raffinée dont la bigarrure enchanta l'Europe.

Canaletto (1697-1768) ne se contente pas de cette Venise anecdotique. Il veut exprimer le charme spécifique de la Place Saint-Marc, du Grand Canal, ou de sites aussi dénués en apparence que le Campo Saint-Joseph, tout encombré de madriers en désordre, et bordé d'une église laide et inachevée. Il y parvient en utilisant comme Pannini la technique rigoureuse, la perspective irréprochable de la *veduta* – et aussi en emplissant l'espace d'une luminosité homogène et subtile, à la fois transparence minutieuse et imperceptible moyen de transfiguration. Appelé trois fois à Londres entre 1746 et 1755, il étudie les paysages, la lumière et les monuments anglais, en se rapprochant quelque peu de la *manière* hollandaise.

Son neveu Bellotto (1720-1780) continue son œuvre, mais en Europe Centrale. Il s'installe à Dresde en 1747, à Vienne en 1760, à Munich l'année suivante; il passe les treize dernières années de sa vie à la Cour de Pologne. Tiepolo avait couru d'un bout à l'autre du « monde baroque » pour y mettre la dernière main. Bellotto arrive quand tout est fini, recueille l'ultime image vivante du *Zwinger* et de la *Frauenkirche*, de Schœnbrunn, de la capitale de Stanislas Poniatowski, fixe, en y appliquant le plus léger, le plus charmant et le plus fidèle des masques mortuaires, les traits de l'Europe aristocratique qui va passer de mode, et que les rivalités politiques, l'éveil des nationalismes bourgeois et les guerres vont ravager jusqu'à nos jours.

C'est Magnasco qu'évoquent la touche épaisse et vibrante, la couleur affranchie de la ligne, on est tenté de dire « l'impressionnisme », de F. Guardi (1712-1793). Auteur, au moins en partie, de frémissantes compositions romanesques *(Batailles de Tancrède et d'Argante)* et religieuses *(Tobie)*, Guardi, surtout, a su mettre un admirable *jeu* dans la mécanique *vedutiste*. Il nous révèle une Venise nouvelle, où se glissent le tremblement et le flou, le reflet et la brume, sans compter une foule bien différente des promeneurs clairsemés et distingués de Canaletto. Une Venise qui grouille encore aux fêtes des Doges, mais qui est déjà celle des heures indécises et des canaux morts, celle que la lagune dispute aux hommes. Venise qui annonce bien entendu celle des Romantiques, comme la peinture de Guardi annonce la peinture du XIXe siècle. Rupture avec les échelonnements de corps solides que la Renaissance a voulu nous faire prendre pour le monde réel, et auquel commence à se substituer un apparent désordre de taches colorées ? N'anticipons pas : une construction sans équivoque subsiste sous les contours menacés ; et n'oublions pas ce que le dernier des maîtres vénitiens doit, jusque dans la liberté avec laquelle il utilise un répertoire chromatique, à ses grands compatriotes de la fin du XVIe siècle (v. PL. XXX).

CHAPITRE VI

LA PÉNINSULE IBÉRIQUE
AU XVIIIᵉ SIÈCLE

1 | l'Espagne

▶ *La Castille*

Vers 1690, le régime agonisant des Habsbourg investit d'une fonction officielle, fort subalterne d'ailleurs, José de Churriguera. Cet homme qui devait, un peu par hasard, donner son nom à un tardif « Baroque espagnol », à un style dénoncé par les générations ultérieures comme le comble du délire, était né en 1665. Il avait deux frères, Joaquin (1674-1724) et Alberto (1676-1750). Son père et ses ancêtres appartenaient à une corporation catalane et sculptaient des retables. En 1693, il dotera *San Esteban* de Salamanque d'un retable à la fois fourmillant et structuré, où aboutissent les recherches poursuivies depuis une trentaine d'années, depuis Pineda, en Andalousie (v. PL. XI).

José a peu construit, et tardivement, et son œuvre architecturale, le *palais Goyeneche* de Madrid, le village de Nuevo Baztan, au plan irrégulier mais aux façades austères (1709), ne présente aucune des provocantes caractéristiques du *style churrigueresque*. Pour comprendre pourquoi son nom est devenu un symbole dès le XVIIIᵉ siècle et a déchaîné tant de passions, il faut analyser, comme l'a fait Hubert Damisch, en 1960, dans un article des *Annales E.S.C.*, la situation de l'Espagne lors du changement de dynastie.

PL. XXI – J. MUNGGENAST. Entrée du couvent. Dürnstein. ▶

L'avènement de Philippe V de Bourbon provoque, ou favorise, une prudente tentative de rénovation. La Cour s'ouvre à l'influence française et aussi, grâce au mariage du roi avec Élisabeth Farnèse, à l'influence d'une Italie du Nord qui, dans le domaine au moins de l'architecture civile, commence à retourner au classicisme. Ouverture, « européanisation », fort limitée, du moins jusqu'à l'arrivée au pouvoir du souverain « éclairé » Charles III (1759), mais qui détermine une rupture : loin des Bourbons, c'est au contraire en ravivant, en exaltant certaines traditions, certaines techniques considérées comme proprement espagnoles que les mécènes et les artistes s'efforcent de prouver que leur pays a retrouvé la grandeur ou l'espoir. Les somptueux décors plaqués à l'intérieur des nefs et des sacristies ou sur les façades doivent rappeler l'opulence et l'allégresse plateresques, c'est-à-dire le style du temps où l'Espagne conquérait le monde. Héritier des *métiers* médiévaux, évincé d'ailleurs de la Cour de Philippe V par un Allemand éclectique, Ardeman, José de Churriguera incarna rapidement, aux yeux des « cosmopolites », des « modernes », des réformateurs, l'opposition provinciale, artisanale et conservatrice, bien que pour sa part il fût plus proche, en réalité, de Herrera que des architectes-ciseleurs des Rois Catholiques, de la rudesse post-tridentine que du lyrisme de la grande époque de Tolède, de Salamanque ou d'Alcala de Henares...

Le plus jeune des Churriguera, Alberto, reprend, lui, ouvertement, et à Salamanque précisément, l'œuvre interrompue de la Haute Renaissance. Il achève, à partir de 1725, la Nouvelle Cathédrale : le sculpteur des stalles du *coro* travaille sous sa direction. Le caractère archaïque de la minutieuse et superficielle prolifération « churrigueresque » apparaît à qui compare ces stalles aux statues voisines de Juan de Juni; la *Sainte Anne* et le *Saint Jean-Baptiste* du *trascoro* semblent, eux, d'un siècle en avance : on dirait ces œuvres du XVIe siècle, de la grande époque des ateliers de Valladolid, animées d'un précoce souffle berninesque, alors que l'artiste de 1725 cherche son inspiration au temps des Rois Catholiques. En 1728 Alberto taille en plein lacis médiéval le rectangle de la *Plaza Mayor* : refus ostentatoire des plans « rationnels », des convergences de perspectives, des grandioses « remodelages » qui caractérisent au XVIIIᵉ siècle l'urbanisme européen. Il applique sur certains des bâtiments qui bordent la place des bandes et des cartouches de riche sculpture, comme il appliquera un « portail-retable » entre les deux grosses tours campagnardes de son église de Rueda (1738).

C'est seulement vers 1750 que, grâce aux Jésuites de la *Clerecia* et à Garcia de Quiñones, l'esprit du « Baroque romain » effleure la cité de Gil de Hontañon. Moins sur la façade, dont Quiñones termine les hautes tours, cantonnées de pyramides « maniéristes », que dans le cloître, où les colonnes engagées créent un rythme puissant, un effet monumental, qui écrase la décoration.

De Narciso Tomé, auteur du *Trasparente* de Tolède, on sait seulement qu'il est mort en 1742, qu'il appartenait à une famille de sculpteurs analogue à celle des Churriguera, et qu'il travaillait en 1715 à une éclatante « mise à jour » de thèmes castillans, flamands et vicentins du XVIᵉ siècle, la façade de l'*Université de Valladolid*. Le *Trasparente* (1721) doit à l'imitation du Bernin sa situation au revers de l'abside, son grouillement d'angelots dans les rayons d'une gloire, son éclairage zénithal à source invisible. Mais Tomé a détruit l'équilibre architectonique du retable italien en affaiblissant les colonnes, dont un faux tissu déchiqueté masque en partie le fût cannelé, et surtout en amincissant la base de sa composition et en plaçant l'accent, non pas même sur la fenêtre du *camarin*, mais plus haut encore, tout près des voûtes, sur la lumineuse Cène sculptée.

Plus proche que les Churriguera du mécénat aristocratique, Pedro de Rivera (1683-1742) a introduit le décor « churrigueresque » jusque dans Madrid. Le portail de l'*Hôpital général* (1720) avec ses *estipites*, pilastres gonflés vers le haut, et les froissements de ses fausses tentures, prenait, dans la capitale des Bourbons, valeur de provocation. Au pont de Tolède, Rivera installe, en équilibre sur le parapet, des niches ouvragées comme des retables. Ses églises restent en revanche d'un surprenant conservatisme. La façade de l'église madrilène de Montserrat (1720) serait herrérienne sans les

linteaux sculptés des fenêtres et les *estipites* de la tour; le plan
en octogone de *N. S. del Puerto*, avec une absidiole tous les
deux côtés, était banal depuis cent ans dans toute l'Europe.

▶ *L'Andalousie*

Aux familles d'artistes de l'Espagne du Nord correspond, à
Séville, celle des Figueroa. Leonardo, le père (1610?-1730),
a, comme tous ses compatriotes du tournant du siècle, enjolivé des façades et composé des décors débordants de
sculpture. Au portail du *Séminaire de San Telmo*, les surfaces
ont tendance à se dissoudre en fins détails, de profondes
ciselures ondoyantes rongent les colonnes; pourtant une
grandeur proprement architecturale subsiste, qu'avait perdue le portail de Rivera. Les Figueroa sont des bâtisseurs,
ils s'intéressent aux structures. *San Pablo*, que Leonardo
entreprend en 1691 (aujourd'hui *La Madeleine*), est une
basilique rectiligne, et la nouveauté se limite à la coupole
sur tambour octogonal, décorée, à la manière *mudejar*, de
céramiques de couleur, et modèle de plusieurs coupoles
sévillanes, *El Salvador, Santa Catalina*. A *San Luis* en revanche
(1699-1730), le plan en croix grecque permet une concentration originale de la polychromie intérieure. Les gigantesques
colonnes salomoniques et les piédroits chargés de fruits de
stuc qui les surmontent conduisent impérieusement à la
coupole, et soulignent ainsi une articulation.

Les coupoles, éventuellement à double fond, les modalités
de leur raccordement à une figure quadrangulaire, demeurent
pendant une soixantaine d'années la préoccupation des
meilleurs Sévillans, des fils de Leonardo Figueroa, de
Diego Diaz (1680-1748, église d'Umbrete, 1725), du maître
inconnu du *Sagrario* (chapelle du Saint-Sacrement), de
San Juan d'Ecija. Pour la vaste cathédrale de Cadix, entreprise vers 1720 et achevée après le triomphe du néo-classique,
Vicente Acero y Acebo projette trois coupoles, l'une sur
le *camarin*, l'autre sur le chœur, la troisième sur la croisée du
transept. Disposition qui exprime à merveille le goût espagnol pour les espaces individualisés. La coupole intermédiaire, celle du chœur, ne couvre pas une travée parmi
d'autres, ni même une travée privilégiée, un espace-aboutis-

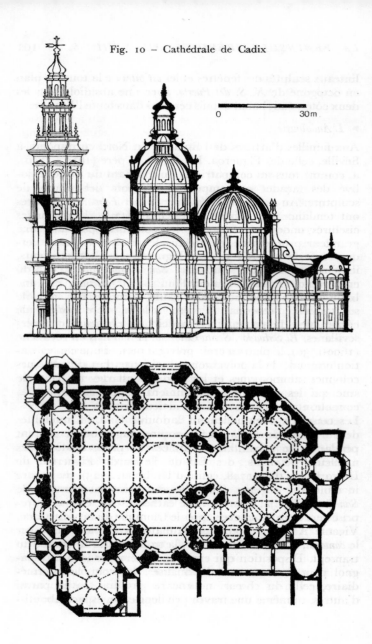

Fig. 10 – Cathédrale de Cadix

0   30m

sement, mais une rotonde virtuellement close. Ailleurs, un espace centré peut s'intégrer à une perspective longitudinale, *s'ajouter* à une nef « orientée ». Acero découpe *dans la masse* de sa cathédrale, comme Siloe l'avait fait à Grenade, un sanctuaire autonome. L'enveloppe oblongue ne définit pas une unité, au besoin composite, elle abrite une multiplicité.

Que l'édifice nommé *église* soit pour l'Espagne, au moins aux XVIIe et XVIIIe siècles, un ensemble de locaux communicants, mais se suffisant chacun à soi-même, et à peu près égaux en dignité, le « Baroque de Grenade » nous le prouve, qui disperse ses splendeurs dans les sacristies, les *sagrarios*, les *camarins*. Les pièces réservées au clergé, ou permettant une méditation quasi solitaire devant le Saint-Sacrement, perdent tout caractère d'annexes, d'*espaces servants*. L'œuvre du Cordouan Francisco Hurtado (1669-1725) commence au *Sagrario* de la cathédrale de Grenade, carré parfait couvert de coupoles disposées en croix grecque, et discrètement décoré. Mais dès 1704, libéré de la tutelle classicisante des chanoines, il conçoit le *Sagrario* de la Chartreuse comme un petit écrin de marbres polychromes, de jaspe et de porphyre. En 1718 il imagine pour les Chartreux d'El Paular (province de Ségovie) le *camarin* qui est devenu le plus fameux d'Espagne, non seulement à cause de la richesse de la décoration rouge et or, à cause des entretoises contournées du retable – legs des mihrabs « flamboyants » de Cordoue –, mais à cause de l'éclairage à contre-jour produit par la coupole du *Sagrario* (v. PL. XXVIII). *Camarin* et *Sagrario* forment un système, l'étroitesse étouffante de l'un mise en valeur par l'ampleur lumineuse de l'autre. Ce thème berninesque est exploité, à la même époque, en Bavière et au Piémont. A la sacristie de la Chartreuse de Grenade, exécutée en 1730 par Luis de Arévalo, mais dessinée semble-t-il par Hurtado, prévaut au contraire le principe platteresco-churrigueresque de l'atomisation des surfaces. Cette blancheur convulsée, ce papillotement de neige, reposent, à l'inverse du rococo, sur une claire géométrie, sur une symétrie rigoureuse. Rosettes, volutes, consoles, urnes, « oreilles » échancrant l'arête des pilastres de leur double concavité ellipsoïdale – il s'agit du déchaînement final du répertoire décoratif traditionnel, d'une exaspération moins créatrice que combinatoire.

Le culte *séparé* du Saint-Sacrement correspond à des exigences si précises qu'en 1780, à Priego, F. X. Pedraxas édifie, sur plan octogonal, un *Sagrario* dont les stucs fourmillants, la balustrade ondulante et les fenêtres à coins et segments alternés nous ramènent cinquante ans en arrière. La fonction semble avoir, ici, imposé et prolongé un « style ».

L'Andalousie et, comme elle, la province du Levant, s'efforcent parfois de ne pas traiter les façades comme de simples « masques » : devant la cathédrale gothique de Valence le Viennois Rudolph, qui est passé par Rome, dresse en 1713 une composition cloisonnée comme un retable d'avant Pineda, avec un motif bien isolé dans chacun de ses sept compartiments, mais il la fait onduler à la manière borrominienne. Jaime Bort travaille en 1736 à la cathédrale de Murcie ; ses couples de colonnes encadrant des statues sentent encore le retable, mais l'ensemble combine l'ordonnance vignolesque, le lyrisme sculptural, et un élément original, l'énorme niche médiane dont nous avons vu apparaître une version classicisante, du temps de Cano, à la cathédrale de Grenade, et qui vers 1740, sous la forme réduite d'un porche en cul-de-four, brise enfin, jusque dans le Nord, jusqu'à Logroño et Saint-Sébastien, l'impassibilité de la muraille herrérienne. Triomphe partiel et éphémère de la troisième dimension : dès 1737 José de Bada (1691-1755) a plaqué au centre de la façade de *San Juan de Dios*, à Grenade, un décor de surface, un portail aux statues alignées sur un même plan.

▶ *Châteaux royaux*

Dans les châteaux que les Bourbons hantés par le souvenir de Louis XIV multiplient à Madrid et autour de Madrid, plusieurs italianismes se superposent et se combinent.

A *La Granja* (1719-1739), ainsi que le souligne G. Kubler, le noyau, le carré à quatre massives tours d'angle d'Ardemans, est autochtone, et le parc dérive de Versailles.

Entre ces deux éléments, deux équipes italiennes, Procaccini et Subisati autour de 1730, Juvarra et Sacchetti une dizaine d'années plus tard, glissent leurs longues façades. Les premiers, quoique formés à Rome, apportent des réminiscences germaniques ; la *Colegiata* ventrue évoque curieusement Salzbourg ou Einsiedeln. L'aile occidentale, avec ses colonnes et ses pilastres colossaux, se rattache peut-être à travers Juvarra aux *Gartenpaläste* surbaissés de la banlieue viennoise.

Le *Palais Royal* de Madrid, au contraire, est fait pour *dominer* : Sacchetti reprend en 1738, à quelques aménagements intérieurs près, le second projet du Bernin pour le Louvre, celui que les Français, en 1665, trouvèrent finalement trop lourd, trop austère : il fallait transplanter les Bourbons dans le voisinage de l'Escorial pour qu'ils acceptent la version grandiose, impériale, du Baroque romain.

A *Aranjuez*, Philippe V et Ferdinand VI développent une résidence bâtie par Herrera, en utilisant les plans laissés par lui. Succédant à deux ingénieurs militaires français, un Lombard, Bonavia, installe finalement, vers le milieu du siècle, un énorme ensemble dans un parc traversé de grands axes à la française.

Des chantiers de Madrid et d'Aranjuez est sorti Ventura Rodriguez (1717-1785) dont les critiques « classiques », et en particulier Jovellanos, ont fait l'anti-Churriguera, la victime de l'Espagne obscurantiste, de l'ignorance agressive des corporations. A *San Marcos* de Madrid, Rodriguez multiplie encore les courbes, égrène les ellipses. Mais après 1750 il donne à la chapelle centrale du *Pilar* de Saragosse une splendeur froide qui, en tout autre pays, découragerait la piété populaire. On songe au « Baroque gelé » d'Émile Kaufmann. En fondant en 1752 l'Académie Royale de Saint-Ferdinand, où Rodriguez enseignera les saines doctrines, le roi ne fait que sanctionner la victoire désormais acquise du purisme, du classicisme européen. En 1761 le *Collège Royal de Chirurgie* de Barcelone fournit une noble illustration des théories fonctionnalistes. En 1776, une École des Beaux-Arts s'ouvre à Grenade, au cœur de la région qui forme, une fois de plus, l'ultime îlot de résistance...

2 | le Portugal

Pendant les cinquante premières années de la dynastie de Bragance, qui a libéré le Portugal de la tutelle espagnole, pas de grand mouvement architectural. Le Nord continue à développer sur les façades des thèmes décoratifs importés de Flandre ou d'Espagne (*Congregados* de Porto, 1657, *São Vicente* de Braga, 1691). João Turriano (1610-1679), fils d'un ingénieur venu de Crémone pour fortifier l'embouchure du Tage, réalise à *Santa Clara a Nova*, à Coïmbra, le type parfait de l'église-salle : un rectangle sans transept ni tribune, couvert d'un simple berceau, où les retables latéraux ne sont pas abrités par des chapelles, mais simplement incrustés à fleur de mur, entre deux pilastres. A partir de 1683 João Antunes, qui a travaillé avec Nunes Tinoco aux projets en croix grecque pour *Santa Engracia* de Lisbonne, se livre à des variations sur le plan centré. Son chef-d'œuvre, l'octogone du *Senhor da Cruz*, à Barcelos, présente quelques-unes des caractéristiques qui donneront bientôt sa grâce spécifique au style du Nord : à l'extérieur, murs blancs encadrés de pilastres et de corniches de pierre grise; à l'intérieur, sombre mobilier de cuir et de bois exotiques dans un éclairage allègre.

En 1693, les Portugais découvrent une prodigieuse source de richesses, l'or et les diamants du Brésil; de 1706 à 1750, ils ont pour roi Jean V, homme cultivé, pacifique et prodigue, grand amateur de femmes et grand dévot – le mécène idéal. Une sorte de seconde Renaissance marquera ce règne, dont la fin précède de peu le tremblement de terre de Lisbonne.

Jean V ne goûte guère plus que les Bourbons d'Espagne « l'art local »; il s'entoure de peintres français et de sculpteurs italiens. Son principal architecte sera un Souabe, Johann Friedrich Ludwig (1670-1752). Parfait représentant de l' « Europe baroque », Ludwig a combattu Louis XIV dans les armées de la coalition impériale, a étudié à Rome avec Pozzo, et les Jésuites, responsables de sa conversion au catholicisme, sont à l'origine de sa carrière portugaise. Il parle

PL. XXIII – K. I. DIENTZENHOFER. Saint-Nicolas-de-la-Vieille-Ville. ▶

J.A. Meissonnier inv.   Riolet Sculp.

cette *koïnè* que les artistes de 1680 ont en grande partie
déduite du Bernin, dont Juvarra est pendant le premier tiers
du XVIIIᵉ siècle le plus illustre utilisateur et qui, à Lisbonne,
éclipse complètement le guarinisme : c'est à Prague, on le
sait, que fera souche la *Divine-Providence*, l'église conçue
par Guarini pour les Théatins du Portugal. Le palais-
monastère de *Mafra*, commencé en 1717, semble, de ce point
de vue, trop probant pour être vrai. L'Escorial revient en
terre ibérique, décastillanisé, assoupli, enjolivé pendant
cinq générations par tous les ateliers du Marché Commun
romano-habsbourgeois. La façade principale, dont le centre
évoque à la fois l'Italie et le Danube et les pavillons d'angle
la Franconie, frise le pastiche. Les « lusitanismes » se cachent
à l'intérieur de l'église, là où sans doute l'emportèrent les
suggestions monastiques.

N'oublions pas cependant qu'au moment où « l'autre Europe »
forge un idiome commun ses frontières perdent leur étanchéité : l'influence de la France, en dépit du recul politique
qu'a sanctionné la Paix d'Utrecht, commence à y pénétrer,
grâce en partie d'ailleurs à la plaque tournante installée à
Turin par l'inévitable Juvarra. Trente ans après *Mafra*,
le château de *Queluz* sort de terre; un élève de Ludwig,
Vicente de Oliveira, l'entreprend, mais c'est un Français,
J.-B. Robillion, qui le terminera vers 1760. Pittoresque
hybride des deux Europes où un fronton oblique, à la viennoise, interrompt une balustrade inspirée de Versailles, où
une rangée de fenêtres à cadre ciselé surmonte une frise à
triglyphes; des tritons berninesques se tordent parmi les
parterres de Le Nôtre, devant un corps de bâtiment qui
évoque la place Stanislas et le Grand Trianon, et où,
sourcils chargés d'ombre, d'épais linteaux se froncent au-
dessus des hautes fenêtres de Mansart...

▶ *Évolution de l'architecture religieuse*

L'architecture religieuse, au Portugal comme en bien des
pays, suit plus fidèlement ses voies propres. L'hermétique
nef-coffre de *Santa-Clara a Nova* de Coïmbra, avec son couvercle en demi-cylindre, se retrouve, plus intime, plus dorée,
au couvent de la *Madre de Deus* de Lisbonne (1711) : moins

◀ Pl. XXIV – J.-A. Meissonnier. Projet pour Saint-Sulpice.   PC-10

d' « architecture » encore, moins de retables latéraux, plus de pilastres du tout, beaucoup de peintures et, au bas des murs, de grandes scènes idylliques en *azulejos*. L'ordonnance triple de l'église traditionnelle est suggérée, pour mémoire, par les deux portes basses à gauche et à droite de la haute et étroite entrée du chœur; au fond, derrière cet arc de triomphe opaque, qui sépare deux espaces plus qu'il ne les articule, s'empilent les parallélépipèdes décroissants du *trono*, étrange construction pyramidante qui occupe souvent la niche centrale des retables majeurs luso-brésiliens.

L'église votive de *Milagres*, près de Leiria (1732), prolonge une autre tradition portugaise, celle des façades larges, abondamment percées, quasi laïques : n'était le demi-pignon vignolesque posé sur ses trois travées médianes, ce *piano nobile* sur arcades figurerait assez bien un hôtel de ville.

Mais c'est surtout au nord du Douro que le XVIIIᵉ siècle portugais manifeste sa vitalité. Le rôle essentiel revient à Nasoni, Florentin qui a traversé Rome et les Pouilles mais que son pays d'adoption a conquis. *São Pedro dos Clerigos* (Porto, 1732) offre une banale façade à placages ornementaux, derrière laquelle les volumes s'agencent audacieusement sur une étroite plate-forme surélevée, leur allongement insolite compensé par une formidable tour absidale. Au sein de ce groupe de locaux spécialisés, le narthex à deux étages et la nef ovale n'ont plus guère de prédominance. Exemple qui sera suivi au Brésil. Comme en Espagne et peut-être avec plus d'esprit de système, « l'église » est ici sentie comme pluralité.

Vers 1750, Nasoni dresse sur une terrasse l'église de pèlerinage de Lamego, à laquelle conduit un magnifique escalier à rampes croisées décoré d'*azulejos* et de rocailles. La large façade s'anime, non seulement, comme au *Senhor da Cruz* de Barcelos, grâce au contraste du crépi blanc et du granit gris, mais grâce au fronton ondulant, à la puissante montée des tours, à l'immense coquille qui surmonte l'entrée, aux chapeaux chinois et aux stalactites des fenêtres.

La bichromie des façades, en alternance avec les revêtements d'*azulejos*, unifie l'inimitable chant du Minho baroque, de la chapelle *Nossa Senhora da Agonia* de Viana do Castelo (v. Frontispice), neigeux pignon dentelé, timbré d'un linteau en ailes de mouette, au *Senhor dos Passos* de Guimaraes, haut front bombé, coincé entre deux tourelles pointues, à taille de guêpe,

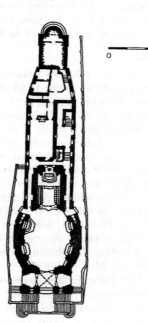

Fig. 11

São Pedro dos Clerigos de Porto (N. Nasoni)

d'où *pendent* des volutes, telles des coulées d'une matière prématurément figée... A Braga, centre historique de la province et siège de l'archevêché, s'accumulent, pendant les règnes de Jean V et de Joseph Ier, les variations sur les thèmes du Minho : *Hôtel de Ville* (1754), *hôpital de São Marcos* (1748), plus « régulier », plus rectiligne, *Palacio do Mejicano*, plus chargé de courbes épaisses, de motifs élargis vers le haut, à qui le style manuélin a légué le double linteau à redans de la porte centrale, église des *Congregados*, église de *Falperra*, aux tours atrophiées, à la façade rongée par l'éclatement des ouvertures

médianes, congestif amalgame de souvenirs maniéristes et
d'allusions rococo; enfin le pèlerinage du *Bom Jesus do
Monte*, dont l'église, tardive, compte moins par elle-même
que comme couronnement d'un escalier multipliant par
trois les zigzags de Lamego, comme clef de voûte d'un
paysage de statues, de fontaines symboliques, de chapelles
abritant des représentations de la Passion (à partir de 1723).

▶ *La* talha

Jean V patronne, à Mafra notamment, une « grande sculpture » italianisante; vers 1730 des silhouettes angéliques
évoqueront, dans les églises, le rococo allemand. Cependant
le vieil art portugais du bois doré, la *talha dourada*, montre
plus de vigueur que jamais. Il arrive que la *talha* envahisse
totalement une église, enrobe les piliers, tapisse les murs;
phénomène plus spécifiquement brésilien mais qu'annonce
São Francisco de Porto, dans la mesure où les retables latéraux débordent de leurs niches peu profondes et tendent à
s'unir en une étincelante paroi ciselée.

Au demeurant, la *talha*, c'est avant tout le retable; plusieurs
historiens, tel Germain Bazin, se sont attachés à retracer
l'évolution du retable portugais, et à montrer avec quelle
souplesse il reflète l'évolution européenne. Vers 1660 apparaît le type le plus original : une sorte d'arcade continue
et plate dont l'archivolte, demi-cercle parfait, est rythmée
par des bandeaux virtuellement convergents semblables à
des limites de claveaux. La niche encadrée par les piédroits
contient une statue de saint aux retables secondaires, et, au
maître-autel, le *trono* à gradins, destinés à l'exaltation du
Saint-Sacrement (*Carmo* d'Evora, *São Victor* de Braga). Ce
type clairement structuré, et qui se détache peu du mur, se
compliquera et s'épaissira à la fin du siècle : chaque piédroit
de l'arcade se mue en une paire de colonnes salomoniques
aux spires chargées de pampres, et l'archivolte en un faisceau
de gros tores qui prolongent les colonnes. Les ressauts du
trono se surchargent, se démultiplient (*São Bento da Vitoria*,
Porto, 1704).

Sous Jean V, un pas vers l'Espagne, ou vers le monde
danubien : on ajoute des colonnes, on les échelonne sur

plusieurs plans, on glisse entre elles des statues. Surtout, l'archivolte devient ébauche d'entablement, et même balda-quin. Perdant son caractère « pariétal » – pour reprendre l'épithète de G. Bazin –, le retable se dilate en édifice, au moment où la ciselure attaque la netteté de ses lignes archi-tectoniques (Porto, maître-autel de la cathédrale, maître-autel de *Santa Clara*, 1727 et 1730). Au *Convento de Jesus* d'Aveiro (1722), l'ornement se pulvérise tandis que repa-raissent au-dessus du *trono* les boudins en plein cintre du xviiᵉ siècle, toujours divisés en secteurs trapézoïdaux, mais veinés, striés, chantournés, avec de minuscules *putti* grouil-lant comme des insectes ; à la voûte qui couvre l'autel, un réseau de nervures rappelle les mosquées ibériques : cette *talha* opiniâtre et milliι.étrique est, pour certains, en relation avec la mode néo-mauresque des années 20.

Autre exotisme, la rocaille, qui un peu plus tard s'introduit dans les retables et donne lieu à des combinaisons très diffé-rentes de celles du rococo de France et d'Europe Centrale, plus épaisses et beaucoup moins détachées des règles de la symétrie. Sur les socles alternativement pincés et renflés des colonnes du maître-autel de Tibães (1770), de petits cartouches évoquent timidement ceux de Toro ou de Cuvilliès, mais au sommet du retable de forts quartiers de rocaille, taillés en plein matériau, s'insèrent parmi les tron-çons d'entablement. Ce rococo n'est pas, comme en Bavière, une aérienne omniprésence, il se concentre en certains points et y forme masse.

▶ *Reconstruction de Lisbonne*

Cependant, plus au sud, le néo-classicisme pénètre en force. La reconstruction de Lisbonne lui fournit indirectement un appui décisif. On sait qu'au lendemain du tremblement de terre de 1755, le Premier Ministre de Joseph Iᵉʳ, le futur marquis de Pombal, commande des plans à un groupe d'ingénieurs militaires inspirés par Manuel de Maîa et Eugenio dos Santos, et retient les plus logiques, les plus « fonctionnels ». Le long des places élargies et réorientées et des rues à angle droit de la nouvelle *Baixa*, les architectes doivent construire sobrement et, surtout, uniformément.

L'ensemble a sur l'édifice une priorité absolue. Souci de rapidité et d'économie, bien entendu, et, en même temps, défi idéologique, rupture avec le Portugal des féodaux et des moines. La *place du Commerce*, dont le projet fut approuvé par Pombal l'année de l'expulsion des Jésuites, s'oppose, à une génération d'intervalle, à la *Plaza Mayor* de Salamanque. Elle n'est pas une mise en scène, un « embellissement », mais un dégagement, une clarification. Les circonstances n'ont pas souvent permis à une entreprise d'urbanisme, sinon à une architecture, d'exprimer avec autant d'éloquence une politique. L' « Europe des Capitales », l'Europe « éclairée », essaie de se substituer brusquement à l' « Europe baroque », alors qu'ailleurs elle s'insinue à ses côtés, elle la ronge progressivement, à partir de 1770. L'équivoque ne subsiste qu'autour de certains monuments religieux : à la Basilique d'Estrela (1779-1790), M. Vicente et R. M. dos Santos se trompent de « simplicité », ressuscitent anachroniquement, parmi l'*utile* géométrie pombaline, la géométrie *noble* de Mafra.

CHAPITRE VII

L'ALLEMAGNE ET LA POLOGNE
AU XVIIIᵉ SIÈCLE

1 | les Dientzenhofer en Franconie
diversité des programmes architecturaux

Un peu avant 1700, trente ans plus tard que dans les
Domaines Héréditaires, les thèmes originaux du Seicento
pénètrent en Allemagne. La percée a lieu en Franconie, non
loin des frontières de la Bohême, et grâce à la famille
Dientzenhofer, dont un membre s'illustre au même moment
à Prague.

▶ *Le pèlerinage*

Georges Dientzenhofer, frère du maître de Mala Strana,
achève vers 1690, pour les Cisterciens de Waldsassen, l'église
de pèlerinage de Kappel. L'innovation ne réside pas à proprement parler dans le plan centré : un tel parti, s'il n'est
nullement de règle, répond en Bavière à une tradition :
lorsque, en 1675, Zuccalli projette une église nouvelle pour
le célèbre pèlerinage d'Altötting, le clergé local lui suggère
de reproduire à très grande échelle le vieux sanctuaire circulaire qui abrite l'Image de la Vierge. *Maria Birnbaum*
(1661, près de Munich), le minuscule *Saint-Léonard* de
Fischhausen (1651, bord du Schliersee) avaient déjà utilisé
cercles et ovales. Mais Dientzenhofer reprend en outre,

à Kappel, le rythme ternaire de Borromini : il accole trois
hémicycles aux côtés d'un triangle central. Trois clochers
semblables se détachent de la masse de l'église. Allusion fort
explicite, puisque l'on vient honorer ici la Trinité. Deux des
absidioles de *Saint-Yves* de Rome étaient demeurées vides ;
chacune des trois absidioles de Kappel contient trois autels.
L'ésotérique spéculation borrominienne s'est résolue en une
symbolique précise, et devient le support d'une liturgie.

▶ *Deux types d'abbatiale*

Le plus jeune des frères Dientzenhofer, Jean (1663-1726),
étudie, pendant ce temps, à Rome. Il en est rappelé en 1699
pour rebâtir l'abbatiale de Fulda. Il la conçoit comme une
basilique à coupole de forme très traditionnelle. Sans doute
n'en fallait-il pas moins pour le siège millénaire du prince-
abbé et pour les reliques de l'apôtre de la Germanie. A
l'entrée du chœur pourtant, à l'endroit où le Moyen Age
plaçait l'écran du jubé, se dresse une sorte de portique à
six colonnes, de gracile arc de triomphe, à travers lequel on
aperçoit le retable plaqué au revers de l'abside : c'est la
perspective formée par le Baldaquin et la Chaire de Saint-
Pierre.

Onze ans plus tard, à Banz, Jean Dientzenhofer reprendra
le procédé, en le combinant avec une structure guarinisante
venue de Bohême. Le voûtement reproduit celui du premier *Saint-Nicolas* de Mala Strana ; les arcs obliques de la nef
se rejoignent à la clef, découpant le berceau, alternativement,
en ovales et en paires de triangles. Un contrepoint identique
à celui de Prague dissocie voûte et supports : les ovales,
couverts d'amples fresques, surmontent les piles, alors que
les voûtains-raccords, moins décorés, correspondent aux
travées de la nef. C'est dans ce chaos de pans de mur dis-
joints, de tribunes ondulantes et de pilastres placés dos à dos
que les retables ébauchent une structure imaginaire. Téles-
copés par la perspective, le portique-jubé et le grand tableau
dressé trente mètres plus loin, au-delà des stalles, abolissent le
rectangle du chœur ; le rectangle de la nef, grâce aux retables
obliques des coins est, auxquels répondent les pans coupés
de l'ouest, se transforme en une fallacieuse ellipse (v. PL. XXIX).

PL. XXV – J. PRANDTAUER. Melk. ▶

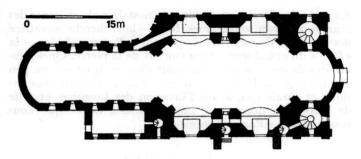

Fig. 12 – Abbaye de Banz

▶ *Le château de Pommersfelden*

En 1711, Jean Dientzenhofer, devenu architecte de l'évêque de Bamberg, Lothaire-François de Schönborn, entreprend, en étroite collaboration avec son maître, la construction du château de Pommersfelden. Hildebrandt a été consulté et il y a du « baroque autrichien » dans cette résidence. Mais non point la tension des palais du centre de Vienne, ni la grâce des *Gartenpaläste*. Pommersfelden tient des deux types. Voici la haute et noble masse du palais urbain, avec ses pilastres colossaux sur un socle à bossages, installée en pleine campagne, ouverte sur une nature révisée d'ailleurs à la manière de Versailles. Le grand escalier traduit une évolution similaire : serti dans un espace trop volumineux pour lui, inondé de lumière, il n'évoque plus l'écrasement ni l'effort, mais suggère une ascension majestueuse et détendue. A côté de cette cage énorme, qui occupe dans toute sa hauteur la saillie du pavillon central, bée la « grande salle », la salle d'apparat. Au-dessous, une salle basse et fraîche, dont un décor de coquillages garantit la « rusticité », ouvre sur le parc. Au bout d'une enfilade, un minuscule « cabinet des miroirs » au parquet marqueté multiplie les reflets de porcelaines chinoises. Un répertoire se constitue grâce auquel, pendant une cinquantaine d'années, l'Allemagne poétisera son architecture civile (v. PL. XXXI).

Kappel – le pèlerinage. Fulda – la nostalgie classicisante des grandes abbayes souveraines. Banz – la recherche novatrice des couvents de moyenne importance. Pommersfelden – la « folie » du grand seigneur amoureux de la pierre. Quelques-uns des thèmes essentiels du xviiie siècle se trouvent, en peu d'années, posés. Ils sont liés à cette société princière, monastique et rurale qui, avant l'invasion des Lumières et celle de Napoléon, donne une image parfaite de ce que nous avons appelé « l'autre Europe ».

2 | situation de l'Allemagne

Le morcellement politique a joué, bien entendu, un rôle décisif dans cette explosion architecturale. Chaque petit souverain, laïque ou ecclésiastique, a voulu, on l'a répété à satiété, imiter Louis XIV. Il n'a pas pour autant « copié » l'architecture française. La multiplicité des États facilite, en fait, la pénétration de diverses influences, la constitution de plusieurs types, permet une série de dosages originaux. D'une principauté à l'autre et d'une génération à l'autre varie la proportion d'italianisme et d'influence française, de « Baroque impérial », à la viennoise, et de guarinisme, de mise en scène berninesque et de scénographie bolono-vénitienne, de survivances *Hochbarock* et d'innovations rococo. Le miracle est que, de ces hésitations et de ces compromis, dont les plans successifs du château de Würzbourg et d'églises comme Ottobeuren ou Vierzehnheiligen permettent d'étudier le détail, soit sorti le contraire d'un « éclectisme ».

L'exemple des Schönborn témoigne mieux que tout autre des bienfaits de la décentralisation. Lothaire-François (1655-1729) incarne en quelque sorte le Saint-Empire d'après le traité de Westphalie; il est sentimentalement attaché aux Habsbourg et se soucie vivement de l'opinion viennoise. Il porte le titre de chancelier d'Empire : son neveu Frédéric-Charles, qui le représente à la Cour avec le titre de vice-chancelier, lui fait rapport sur les travaux de Fischer von Erlach et de Hildebrandt. Mais d'autre part, en tant qu'évêque de Bamberg, il touche à la Bohême et patronne les

Dientzenhofer. Enfin l'archevêché-électorat de Mayence, qu'il occupe à partir de 1695, le place en contact avec la France et il utilise de ce côté un architecte plus « classicisant », l'ingénieur militaire Maximilien von Welsch (1671-1765), qui bâtit notamment pour lui une réplique de Marly, *La Favorite*. Face à l'épiscopat, les moines, ses ennemis héréditaires. Il arrive qu'ils jouissent, eux aussi, d'une pleine indépendance, et qu'ils exercent des pouvoirs séculiers sur un territoire infime, mais où aucun suzerain n'ose pratiquement plus intervenir. Des dizaines d'*abbayes immédiates*, en Souabe notamment, ne relèvent que de l'Empereur, c'est-à-dire de personne. Telles, parmi les 154 maisons bénédictines germaniques, Fulda, Saint-Blaise, Saint-Emmeram de Ratisbonne, Kempten, Weingarten, Ottobeuren, Ochsenhausen, Neresheim – auxquelles il faut ajouter les grands monastères suisses, Saint-Gall, Einsiedeln, Disentis, Muri... Et d'autres, qui appartiennent aux Prémontrés, aux Augustins, aux Cisterciens. Certains des couvents vassaux d'un prince n'en sont pas moins des puissances : Zwiefalten achète sa liberté au duc de Wurtemberg en 1750, Furstenfeld est créancier de l'électeur de Bavière, et les conflits de l'évêché de Bamberg avec les Cisterciens de Langheim, ses sujets théoriques, sont célèbres. Les abbés, roturiers pour la plupart, résident, et gouvernent souvent leurs quelques milliers de paysans avec plus de prudence que les princes laïques.

L'architecture, pour ces fils de bourgeois ou d'artisans, est une passion et une revanche, mais aussi une spéculation. Les bâtiments neufs flattent les fidèles, provoquent l'accroissement des offrandes, et hâtent la consommation des productions locales. Spécialement les sanctuaires de pèlerinage. Les abbayes qui, pour des raisons de principe ou d'économie, hésitent à rebâtir leur propre église, risquent d'énormes capitaux, et acceptent l'art le plus « moderne », sur les lieux où l'on commémore « leur » apparition, où l'on vénère « leur » Vierge ; ainsi Salem, Langheim, Schussenried, Steingaden, conservatrices *intra muros*, et à qui l'on doit pourtant Birnau, Vierzehnheiligen, Steinhausen et la Wies.

La reconstruction des immeubles conventuels pose moins de problèmes et, en général, est plus rapidement conduite que celle des édifices du culte. Le souvenir de l'Escorial fait surgir, ici comme dans la partie autrichienne de la vallée du Danube, de hautes ordonnances fermées et symétriques, qui oblitèrent puissamment le paysage sans se mêler à lui. Encore ne faut-il pas confondre le logis de l'abbé et des moines avec les bâtiments nécessaires à l'administration du territoire et à l'exploitation du domaine, dont le style et la disposition sont moins rigides, qui se groupent parfois en ensembles pittoresques et débonnaires. Il y a là, si l'on peut dire, une tentative d' « urbanisme rustique », un dialogue de l'architecture avec les sites naturels, fort différents des compositions de Versailles et de Marly.

3 | la première génération des châteaux

▶ *Le problème de l'architecture civile à la fin du XVIIᵉ siècle*

Précédant d'une quinzaine d'années le reste de l'Allemagne du Sud, de l'Allemagne à prépondérance catholique, la Franconie a mis au point des formules modernes pour tous les types de bâtiments à la fois. Ailleurs, et notamment dans la région rhénane, le *Bauwurm*, le virus de la bâtisse, exerce déjà d'impitoyables sévices, mais la doctrine demeure flottante, et les nouveautés italiennes, françaises ou autrichiennes progressent de façon irrégulière, parfois incohérente.

L'architecture civile cherche la première à se mettre à jour ; hâte qu'expliquent le retard accumulé pendant le XVIIᵉ siècle, l'absence en ce domaine d'une solution comparable au *Hochbarock* religieux. Les villes, et même beaucoup de logis princiers, évoquent encore vers 1680, avec leurs pignons, la Renaissance, sinon le Moyen Age. Or si, les uns comme les autres, bourgeois et princes entendent enfin l'appel de Vitruve, ils ne s'accordent pas sur l'ampleur que doit comporter la réponse. Les premiers envisagent tout au plus, comme s'il ne s'agissait que d'une mode, quelques concessions superficielles ; les seconds rêvent de reconstructions totales et systématiques. Aucun souverain laïque d'Allemagne ne possède certes, pendant la trentaine d'années qui chevauchent

1700, la personnalité, la sûreté de goût, d'un Lothaire de Schönborn. Mais aucun, d'autre part, n'a eu les mains aussi libres, n'a eu moins à défendre ses conceptions d'avant-garde contre une bourgeoisie urbaine conservatrice, et fort ménagère de ses florins. Significatif est l'échec de l'électeur palatin Jean-Guillaume, désireux de « remodeler », en 1698, Heidelberg ruiné par les Français, et d'articuler sur elle son château rénové. Il s'est assuré, pour cette tâche grandiose, le concours d'architectes italiens, en particulier de D. Martinelli, qui a travaillé à Vienne pour les Liechtenstein. Mais il ne peut vaincre les résistances de la Ville. De nombreuses façades changeront d'aspect, des maisons pivoteront, tournant vers la rue leur mur goutterot et non plus leur pignon, Heidelberg ne changera pas de structure. Le quartier le plus modernisé sera celui des Jésuites, et encore l'architecture nouvelle y gardera-t-elle une certaine sévérité fonctionnelle. Ainsi s'explique l'engouement pour la formule « versaillaise ». Sensibles sans doute à des considérations d'ordre esthétique, les princes tirent, surtout, les ultimes conséquences de l'évolution de leurs rapports avec les villes. Ils constatent qu'ils appartiennent désormais à un autre univers, et ils *tournent le dos*. Avec leur Cour constituée en monde à part, ils s'installent hors les murs, ou même en rase campagne, donnant souvent à leur installation un caractère excessif, et comme volontairement provocant. Cet âge est celui des chantiers démesurés : comparé à certaines entreprises plus occidentales, Pommersfelden paraît modeste. Lothaire-François s'en excuse d'ailleurs auprès des visiteurs de marque... La grande « émigration intérieure » de 1700 consacre la montée des princes commencée deux cents ans plus tôt. En même temps, en manifestant l'éclatement des assises sociales du Saint-Empire, elle prépare leur perte. Parmi les *médiatisés* et les annexés du XIXe siècle, figureront souvent les hôtes, perdus au milieu du faste aulique, des « palais baroques » isolés et trop vastes...

▶ *Les œuvres*

Le programme de Versailles, son échelle et sa situation, non le style de Mansart. Il faut pour s'en convaincre rapprocher l'une des premières résidences conçues comme un tout, Rastatt, des bâtiments contemporains de l'Allemagne du Nord : la *Bourse* de Brême, achevée en 1695 par le Huguenot J. B. Broëbes, fournit un bon exemple de « classicisme » franco-hollandais. Le margrave Louis de Bade, compagnon d'armes du Prince Eugène, commande Rastatt, en 1698, à un élève du Bernin, D. E. Rossi, qui, circuit aussi révélateur que celui de Martinelli, est passé d'abord à Prague, chez les Černin. La balustrade qui borde le toit, les fenêtres presque carrées du second étage, le balcon central, peuvent évoquer à la rigueur la France voisine, nullement le parti d'ensemble, le gauche raccordement de deux ailes à arcades au pesant et épais corps principal. L'Italie domine dans cet hybride, mais, en vérité, une Italie-répertoire, qui traîne encore des souvenirs du XVIe siècle, plutôt que l'Italie « romaine » du Seicento : Rossi a oublié chez le Margrave les leçons de son maître.

En 1715 le duc de Wurtemberg, las de Stuttgart, fait de Ludwigsburg sa seconde capitale. C'est une ville toute neuve, géométrique, construite uniquement en fonction du château qu'ont entrepris une dizaine d'années plus tôt Jenisch et Nette, et auquel l'adroit Donato Frisoni donne son unité et son originalité. Grâce aux très violents décrochements des différents pavillons, à la hiérarchisation hardie des hauts toits à profil concave, le front sur le parc évite aussi bien, à Ludwigsburg, le pot-pourri italien que le pastiche louis-quatorzien, et atteint le style qu'avait manqué Rastatt.

La même année, Charles-Guillaume de Bade-Durlach crée autour d'un pavillon de chasse la résidence et la ville nouvelle de Karlsruhe. En 1719 Damien-Hugo de Schönborn, évêque de Spire, neveu de Lothaire-François, vient s'installer à Bruchsal, et demande le plan d'un château aux architectes de la Cour électorale de Mayence. Le palatin Charles-Philippe, enfin, abandonne Heidelberg pour Mannheim, bourg-forteresse né artificiellement, peu après 1600, par la volonté d'un de ses prédécesseurs. Un conflit d'ordre confessionnel a rendu inévitable la rupture du prince catholique avec la vieille cité protestante. Mais Charles-Philippe saisit aussi l'occasion de reprendre en terrain libre les projets de

Jean-Guillaume et d'édifier un gigantesque château moderne, régissant impérieusement l'organisation de toute une ville. L'allié de Louis XIV, l'électeur de Bavière Max-Emmanuel (1679-1726), à peine revenu de son exil français après la Paix d'Utrecht, se passionne pour deux châteaux voisins de Munich dont la guerre a longtemps paralysé la croissance, Nymphenbourg et Schleissheim. Un Bavarois formé à Paris, Joseph Effner, y supplante les architectes italiens, Zuccali, Viscardi. Mais là encore c'est surtout l'ordonnance des jardins, l'utilisation savante de l'implantation suburbaine, qui trahissent l'influence de l'Ouest. La conception proprement architecturale nous renvoie à Vienne.

4 | les églises

▶ *Nouvelles générations du Vorarlberg*

Au nord et au sud du lac de Constance, loin des innovations franconiennes, les hommes du Vorarlberg poursuivent leurs variations prudentes. Né en 1656, le bénédictin Gaspard Moosbrugger assure une transition entre la génération *Hochbarock* et la génération rococo. On mesure mal sa participation, et celle de son compatriote et contemporain Franz Beer, à Weingarten (1714) : cette sobre basilique à transept accentué, articulée sur une coupole à tambour, que termina le Comasque Frisoni, représente en Souabe la tradition italo-salzbourgeoise. Vieille et très riche « abbaye impériale », Weingarten ne pouvait aisément se contenter du rectangle à *Wandpfeiler* de tout le monde... C'est en Suisse que Moosbrugger a laissé ses œuvres les plus significatives, Disentis (1695), application encore routinière du *Schéma*, Muri (1696), où une nef octogonale jouxte un chœur allongé, Einsiedeln (1719), où cette dualité de partis comporte une justification fonctionnelle : le chœur et les deux travées à *Wandpfeiler* de la nef constituent l'église du couvent et la rotonde répond aux exigences du pèlerinage : elle abrite l'oratoire qui contient la Vierge à l'Enfant et permet de circuler autour de lui sans gêner les fidèles agenouillés.

Pierre Thumb (1681-1766), fils de l'auteur d'Obermarchtal, conclura les travaux de sa corporation avec l'église de pèlerinage de Birnau (1746) et l'abbatiale de Saint-Gall (1755). Birnau se dresse magnifiquement au-dessus du vieux lac souabe, face aux Alpes; l'intérieur consiste en une simple salle blanche et rose. A Saint-Gall le *Schéma* absorbe sournoisement le plan centré : les deux rangées de *Wandpfeiler* se gauchissent à partir de la troisième travée, de manière à dessiner une ample rotonde. Comme ces *Wandpfeiler* ont été généreusement évidés entre mur et pilier, Saint-Gall prend l'aspect d'une basilique renflée en son milieu. Ultime tentative du provincial Vorarlberg pour parler, en ces lieux où l'on se souvient de Charlemagne, l'une des langues nobles de l'Europe.

En même temps que Pierre Thumb, la grande génération des bâtisseurs d'églises arrive à pied d'œuvre : les frères Asam (Côme-Damien, le peintre, 1686-1739, Egid-Quirin, le sculpteur, 1692-1750), Dominique Zimmermann (1685-1766), Jean-Michel Fischer (1692-1766), Balthazar Neumann (1687-1733).

▶ *Les frères Asam*

Les Asam ne méditent guère sur les structures. Ils rapportent de Rome, une quinzaine d'années après J. Dientzenhofer, le style du Bernin *sculpteur*, son pathétique et ses éclairages, ainsi que le souffle des grandes fresques de la fin du Seicento, les perspectives épiques de Pozzo. A partir de tous ces éléments, après avoir dessiné un plan centré (Weltenburg, 1717, *Ursulines* de Straubing, 1736) ou s'être saisis d'une nef à *Wandpfeiler* construite par d'autres (Rohr, 1717, Osterhofen, 1726), ils fabriqueront un espace intérieur, c'est-à-dire, somme toute, feront de l'architecture. Tout le système s'organise en fonction d'un retable majeur qui dérive, une fois de plus, du Baldaquin, mais qui, s'écartant du type de Banz, devient scène de théâtre. Les colonnes, tels des « portants », encadrent l'*Apparition de saint Georges* de Weltenburg, l'*Assomption* de Rohr. Ici, mise en scène d'opéra : le cavalier à la lance de flamme surgit d'un prodigieux contrejour, sa sombre silhouette effleurée par une lueur d'au-delà. Là, figuration sentimentale : les huit Apôtres qui découvrent

PL. XXVI – A. MAGNASCO. *Réfectoire des Frères.* ▶

le Sépulcre vide, et dont les attitudes éloquentes expriment les réactions successives de l'homme devant le miracle, comptent autant que le groupe ascendant de la Vierge et des anges.

Saint-Jean-Népomucène, qu'Egid-Quirin a construite pour lui-même à Munich (1733-1746), reprend, avec son premier étage privilégié, l'ordonnance des chapelles palatines, mais la charge d'une signification nouvelle. Il ne s'agit plus de situer devant Dieu un Grand de ce monde, mais de rendre violemment sensible l'éclat du règne divin. La nef est étroite, encaissée, les stucs ont ces teintes lourdes que préféra toujours Egid-Quirin, sauf dans l'ovale émeraude de Weltenburg; le regard monte, de cette vallée mélancolique, vers le saint qui brille au-dessus du balcon, puis vers la Trinité qui le domine à son tour, mystérieusement baignée d'une lumière qui sourd derrière elle, entre la corniche et les trompe-l'œil de la voûte.

▶ *Zimmermann et le rococo*

L'une des originalités des frères Asam, liée évidemment à leur fidélité romaine, c'est leur résistance au rococo qui, à partir de 1730, submerge l'Allemagne. Ces motifs dissymétriques et échevelés, à la fois obsédants et légers, luxuriants et abstraits, viennent de France; triomphants sous la Régence, mais proscrits dès le temps de Mme de Pompadour, ils ont représenté à Paris une mode, ils ont marqué les boiseries, les miroirs des cheminées, les meubles, l'argenterie, tout ce qu'une aristocratie sûre d'elle jette au rebut sans regret. En Allemagne, ils se sont magnifiquement alliés à l'architecture et, combinés avec un nouveau répertoire chromatique, l'ont transformée. Leurs courbes divergentes ont d'autre part guidé les sculpteurs, et ont imposé aux gestes et aux robes des saints d'étranges rythmes – une stylisation parfois différente de celle du Bernin.

La rocaille allemande s'identifie avec le stuc : ses promoteurs viendront de Wessobrunn, et notamment Dominique Zimmermann, auteur de l'église paroissiale de Günzbourg (1736) et de deux églises de pèlerinage, Steinhausen (1728) et la Wies (1745). Le pèlerinage paraît une fois de plus commander le plan centré; mais un rapprochement avec

Einsiedeln risquerait de mener au contresens : l'espace ovale, à Steinhausen et à la Wies, n'abrite pas l'Image, et l'étroite « galerie » qui l'entoure, séparant la colonnade du mur extérieur, n'autorise guère de pérégrination périphérique; simples lieux de transition, de recueillement et d'attente que ces nefs : la rustique *Pietà* souabe, le *Christ flagellé* du célèbre sanctuaire bavarois, se trouvent au fond d'un chœur rectangulaire, enchâssés dans un retable à deux étages. Le rococo de Zimmermann, rencontre d'un savoir-faire de virtuose et de la fraîcheur du cœur, dispose autour des Souffrances et de l'Outrage, sans attenter à leur majesté, les tons pastel, les fresques pleines d'eaux jaillissantes et de bons sauvages et les sourires d'une paysannerie d'idylle.

▶ *J. M. Fischer*

La science de J. M. Fischer est plus austère : c'est celle de la pierre et de la brique. Il a grandi dans la corporation munichoise des maçons, et il a découvert l'Italie sur les chantiers moraves où il travaillait comme compagnon. Il passe pour avoir construit 32 églises et 23 couvents. Pieux, docile et pourtant inventif exécutant des grands desseins monastiques, il a su combiner ou faire alterner entre Alpes et Danube, selon la commande, les recettes du *Hochbarock* et les réminiscences de la Rome de 1650. A Osterhofen (1726), à Diessen (1732) (v. PL. XXXIII), à Zwiefalten (1740), il reprend, à quelques courbes près, le *schéma* du Vorarlberg, laissant aux peintres et aux stuqueurs le soin d'en tirer parti. C'est ainsi qu'à Zwiefalten triomphe le décor rococo – un rococo plus touffu, plus grave, aux proliférations plus inquiétantes, que celui de la Wies. Moins lyrique, plus structurée, Diessen illustre le procédé scénographique pour lequel s'est passionné tout le XVIIIe siècle : les retables secondaires, adossés aux *Wandpfeiler* et emboîtés par la perspective, conduisent d'emblée le regard vers le retable du maître-autel. Toute l'église, unifiée, « télescopée », par la double enfilade aux formes et aux couleurs homogènes, nous est livrée dès l'entrée, nef, chapelle et chœur.

A l'abbaye impériale d'Ottobeuren, où Fischer prend en main, en 1748, un chantier ouvert par d'autres, le décor intérieur, somptueux mais strictement dosé et discipliné, ne fait plus que souligner une large et lumineuse structure. Le *Schéma* est tout proche encore, et rien ne reste, pourtant, de la rusticité du Vorarlberg. Plus heureux en un sens que les architectes de Weingarten, Fischer a réussi à exprimer la majesté d'une suzeraineté millénaire et à noter la référence

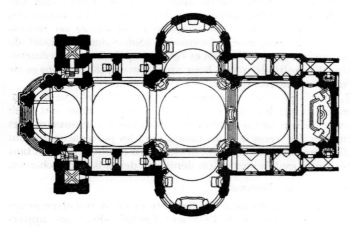

Fig. 13 – Abbaye impériale d'Ottobeuren

à Rome, la lointaine allusion à *Saint-Pierre*, en utilisant en partie le vocabulaire du terroir. La coupole plate de la croisée, choisie de préférence à la coupole sur tambour, « naturalise », acclimate, l'énorme transept médian, aux extrémités arrondies, suggéré par Salzbourg ; les retables latéraux, disposés par Fischer face à l'entrée, comme à Diessen et à Zwiefalten, masquent sans les obturer les ouvertures percées dans les *Wandpfeiler* : forme originale, transposition « scénographique », du jeu réticent avec la pensée basilicale que, P. Moisy l'a montré, Vignole a inauguré au *Gesù*.

Le petit couvent bavarois de Rott-am-Inn, dont les ressources et les titres de noblesse ne peuvent se comparer à ceux de la puissante abbaye souabe, devra se satisfaire de peu dispendieux raffinements de structure (1759). Qu'un espace centré interrompe un rectangle en son milieu, séparant du chœur une très courte nef, n'a rien en soi de bien nouveau. Mais Fischer intercale aux quatre points de raccord quatre profondes chapelles à tribune, orientées en diagonale, qui encadrent tour à tour, selon la position du visiteur, le maître-autel et les deux grands autels latéraux. Conclusion des recherches sur l'amortissement des angles qu'il a poursuivies jusque-là dans une série d'églises à nef carrée ou rectangulaire de moyennes dimensions (*Sainte-Anne am Lehel* de Munich, 1727, Aufhausen et église de pèlerinage des Augustins d'Ingolstadt, 1736, Berg am Laim, 1738, pèlerinage de Sigmertshausen, 1755).

L'œuvre de Fischer trouve un significatif épilogue à Altomünster, où les exigences de la règle brigittine ont failli avoir raison de son habileté : dans cette communauté les moines, les frères lais, les moniales et les paroissiens doivent disposer de locaux séparés ; des rapports optiques unifient tant bien que mal la succession dénivelée des nefs et des chœurs.

► *Balthazar Neumann*

Neumann, l'architecte des Schönborn de la troisième génération, des neveux de l'électeur Lothaire-François, appartient à un autre univers. Il n'a rien appris dans sa famille de l'art de bâtir : il est ouvrier fondeur lorsqu'un officier de la garnison de Würzbourg lui enseigne les mathématiques et fait de lui l'un de ces ingénieurs militaires qui disputent aux maîtres maçons l'essentiel de la commande architecturale de l'époque. Il a voyagé à travers l'Europe, a vu Vienne et Milan, et même Paris, où il a rendu une rapide visite, en 1723, à Boffrand et à R. de Cotte. Héritier de Hildebrandt, mais surtout des Dientzenhofer et, à travers eux, de la passion de Guarini pour les voûtes paradoxales, il rêve en même temps d'ordonnances classicisantes, de colonnes clairement dégagées et alignées, et de pierres noblement appareillées, à la française. Il méprise l'ornement : les murs d'Etwashausen (1741) enchâssent, entièrement nus, les quatre couples de colonnes blanches sur lesquels repose la coupole plate de la croisée. Il tient de beaucoup moins près que les architectes de Bavière ou de Souabe à la société monastique : ses églises de pèlerinage, Gössweinstein (1730), Käppele (1748), sont des fondations épiscopales. A Vierzehnheiligen (1743) il entre en conflit avec l'abbé de Langheim, à qui doit finalement l'imposer Frédéric-Charles de Schönborn, évêque de Würzbourg et de Bamberg (1674-1746).

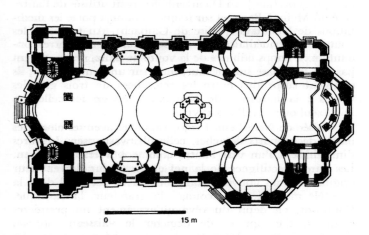

0   15 m

Fig. 14 – Eglise de Vierzehnheiligen

Victoire partielle d'ailleurs, et d'autant plus féconde : Neumann et l'évêque rêvaient d'une basilique et l'abbé, plus sensible aux modes locales qu'aux traditions du *grosser Stil* européen, et porté à associer le pèlerinage au pittoresque, avait fait dessiner une rotonde très ornée par le Saxon Krone. Sa rotonde écartée, Krone n'en demeura pas moins maître du chantier, et dénatura assez le plan primitif de Neumann pour l'obliger à un compromis. La pensée basilicale donne à l'extérieur de l'église sa raideur classicisante. Mais à l'intérieur, bien que la croix latine reste visible, la « structure du pèlerinage » l'emporte. La rougeoyante pyramide à volutes qui commémore l'apparition des Quatorze Intercesseurs, installée paradoxalement en pleine nef, devient point de mire et pivot. Les grandes arcades des travées médianes s'incurvent autour d'elle. Le chœur est atrophié, le transept contrebalancé par l'axe transversal que créent, entre l'autel central et l'entrée, deux retables en vis-à-vis. Mais ce sont surtout les voûtes qui se jouent de l'enveloppe oblongue de Vierzehnheiligen, grâce aux arcs gauches, aux arcs praguois que Jean Dientzenhofer avait utilisés de l'autre côté du Mein, à Banz, et sur lesquels ont déjà porté les méditations de Neumann (église de Gaibach). Au transept, les voûtains intermédiaires en triangle curviligne, correspondant aux « temps faibles » de la voûte de Banz, ne s'appuient pas par leur base sur un mur, mais sur une autre voûte ; ils semblent suspendus entre les retombées de trois grandes voûtes : la hardiesse de Neumann dépasse ici celle des Dientzenhofer (v. PL. XXXVI).

La croisée de Neresheim (1750) rappelle, avec ses élégantes paires de supports détachés, celle d'Etwashausen. Les arcs s'infléchissent l'un vers l'autre comme à Vierzehnheiligen. Les parois rectilignes de la nef et du chœur doivent leur originalité à un nouveau compromis avec cet idéal dont la clientèle monastique méconnaît la grandeur, la basilique. Contraint, en dépit du rêve qu'expriment les premières esquisses, d'élargir et de dégager le vaisseau médian, d'unifier l'espace, Neumann a rapproché peu à peu les grandes arcades, avec leurs tribunes, des murs gouttereaux : une « anastomose » s'est produite et une sorte de paroi double est apparue – ou si l'on veut une paroi très épaisse percée de trois galeries longitudinales superposées – un admirable mur puissant et articulé comme un mur roman de Normandie.

5 | la deuxième et la troisième génération des châteaux

A l'inverse de Fischer, Neumann est aussi un architecte de châteaux. Il a construit la résidence d'été de Werneck (1734), avec son pavillon central et ses pavillons d'angle aux toits galbés à la manière franconienne, et a imposé ses vues, malgré les consultations données à **Paris**, à **Vienne** et sur place par Boffrand et par Hildebrandt, au palais de Würzbourg (1720-1770). Le problème consistait notamment, à Würzbourg, à limiter l'effet de monotonie produit par la répétition, au long d'immenses façades, de motifs empruntés pour la plupart à l'Autriche, à adapter la tension danubienne aux proportions de Versailles. Peut-être la réussite n'est-elle et ne pouvait-elle être totale qu'au grand escalier, où les contrastes lumineux conçus à Vienne pour les palais de magnats s'accommodent d'une grandeur et d'une lenteur royales. A Bruchsal au contraire l'escalier de Neumann (1731) est resserré, dramatique, dans une cage cylindrique. A Brühl, chez un Wittelsbach cette fois, l'archevêque de Cologne Clément-Auguste, Neumann reprend sur une échelle plus modeste les plans de l'escalier de Würzbourg (1744). L'effet dominant est celui des stucs verts, rouges et bleus.

▶ *De Cuvilliès à La Guépière*

La construction de Würzbourg et de Brühl, et même celle des châteaux du début du siècle, se prolongent en dépit de l'impatience et de la prodigalité des princes : on ne s'attaque à la décoration qu'au temps du rococo. Le plus illustre diffuseur de la rocaille profane, l'homologue courtisan des stuqueurs de Wessobrunn, dont il utilise d'ailleurs la main pour exécuter ses propres projets, c'est François Cuvilliès (1695-1768). Recruté dans son Hainaut natal par Max-Emmanuel, Cuvilliès étudie à Paris de 1720 à 1727 et, vers 1730, supplante à Munich le représentant de la tradition louis-quatorzienne, Effner. Après avoir décoré les « Riches Salles » du vieux palais urbain des Wittelsbach, véritable manifeste du rococo, il publie en 1738 un *Livre de Cartouches* qui fait suite au *Livre d'Ornements* de Meissonnier; en 1750, déjà moins en faveur, il créera le Théâtre de la Résidence. Grâce à l'*Amalienburg*, l'ornemaniste interviendra dans l'Histoire de l'architecture proprement dite : écrin de merveilleuses rocailles d'argent sur fond bleu et sur fond paille, le pavillon de chasse du parc de Nymphenburg annonce d'autre part, par ses dimensions et son aspect extérieur, une nouvelle période de l'architecture civile allemande. Moins exigu, plus structuré, plus étalé, que les *fabriques* semées par Effner dans le parc de l'électeur, *Pagodenburg, Badenburg,* il nous conduit vers les petits châteaux qui, au milieu du siècle, détournent les princes de l'éloquence romano-viennoise et du gigantisme versaillais (v. PL. XXXIV).

Sanssouci (1745), *Benrath* (1755), *Monrepos* et *Solitude* (1763), rotondes encadrées d'ailes basses, évoquent les *Gartenpaläste*. Mais à mesure que l'on avance dans le siècle, le style évolue ; c'est l'époque où les architectes français passent au premier plan : en 1752 Nicolas Pigage (1723-1796) devient directeur des Bâtiments de l'électeur palatin et P. L. Ph. de La Guépière (1715-1773) de ceux du duc de Wurtemberg. Une sorte de rococo classicisant prévaudra pendant une vingtaine d'années. Une frise à triglyphes, une balustrade très stricte au bord d'un toit, un fronton rectiligne sur quatre couples de colonnes, un décor de refends s'accordent à merveille aux souples plans de l'Europe Centrale et au nouvel encadrement naturel, étang, clairière, futaie giboyeuse.

6 | paradoxes saxons

Entre les deux Allemagnes, entre le Brandebourg et la Bohême, oscille politiquement et intellectuellement la Saxe, État hybride, électorat protestant dont les maîtres, Auguste le Fort (1670-1733) et Auguste III, sont catholiques et rois de Pologne. Le premier tiers du XVIIIᵉ siècle a doté Dresde de deux œuvres dont on ne retrouve nulle part l'équivalent, le *Zwinger* (1711-1722) et la *Frauenkirche* (1722-1743). Le *Zwinger* de Mathaes Daniel Pöppelmann (1662-1736) « n'est autre, écrit Richard Alewyn, qu'un système harmonieux d'orangeries » (v. PL. XXXII). Conçu essentiellement pour encadrer des fêtes et des carrousels, il forme une galerie rectangulaire, aux petits côtés incurvés en hémicycle, ponctuée de pavillons et de porches où s'enchevêtrent les fragments de frontons, les colonnes, les guirlandes, les urnes et les termes ; l'étrange monument doit autant au sculpteur Permoser qu'à son architecte. La *Frauenkirche*, du maître charpentier Georges Bähr (1666-1738), est – ou était avant le bombarde-

ment de 1945 – la plus belle réussite de l'architecture religieuse protestante. Centrée au sens où l'est une salle de théâtre, la nef-auditorium, avec son empilement de tribunes ondulantes face à la chaire et aux orgues, reçoit d'un énorme dôme une grandeur sacrée.

Les Français s'installent en force dès les années 1720-1730; deux notamment, Zacharie Longuelune et un ingénieur huguenot qui a passé par Berlin, Jean de Bodt. Un certain « classicisme » se greffera donc, non, comme trente ans plus tard en Allemagne du Sud, sur le rococo, mais sur une architecture encore très oratoire, très « autrichienne » (*Palais Japonais*, 1727).

7 | peinture et sculpture

L'architecture asservit les autres arts ou bien, comme il arrive chez les frères Asam ou dans certaines églises inspirées du type du Vorarlberg, elle se dissimule sous leurs combinaisons : la distinction entre les trois arts, de toute manière, va rarement sans artifice dans l'Allemagne du xviiie siècle.

Siècle de peinture, d'une certaine manière : la fresque relègue les stucs aux bases des voûtes, le tableau, sauf dans quelques pèlerinages, achève de supplanter le groupe sculpté au centre des retables. Mais ces immenses surfaces peintes et ces tableaux lointains s'intègrent si parfaitement, concourent avec une telle abnégation à l'impression globale qu'on a peine, souvent, à y lire plus que l'indication ou le rappel d'une tonalité. Le bouillonnement héroïque de C. D. Asam ennoblit et assombrit, les ciels de J. B. Zimmermann, frère de l'auteur de la Wies, détendent et absolvent. La dominante brune des compositions de F. J. Spiegler accuse les proportions un peu écrasées de Zwiefalten... Puis vient, plus portée à dissoudre les structures et les masses, à éparpiller dans l'éther des flocons de personnages illuminés, la troupe des peintres rococo proprement dits, nés entre 1705 et 1730, Matthäus Günther, J. J. Zeiller, J. E. Holzer, Maulbertsch, souabe émigré en Autriche, et enfin Martin Knoller et Januarius Zick,

◄ Pl. xxix – J. Dientzenhofer. Abbaye de Banz.   PC-12 proches déjà de Mengs et des théories de Winckelmann. La plupart d'entre eux se sont formés à cette Académie grâce à laquelle Augsbourg redevient un centre artistique important au XVIIIe siècle, et que dirige à partir de 1730 Bergmüller, le peintre de Diessen et de Steingaden, l'ancien élève de Maratti. Par quoi nous nous retrouvons, une fois de plus, à Rome, dans les ateliers où se débite le Seicento....

Plus d'autonomie et plus de variété en sculpture, où le berninisme et la technique du stuc interfèrent avec la tradition locale du bois, entretenue tout au long du siècle précédent par le retable *Hochbarock*. Deux Autrichiens d'abord, l'un, Guggenbichler (1649-1727), le provincial, fort éloigné déjà du hiératisme et de la frontalité, mais fidèle au bois peint, au retable rustique, l'autre, Permoser (1651-1732), l'homme du « baroque européen » formé en Italie, sculpteur du *Zwinger* de Dresde et de l'*Apothéose* en marbre du Prince Eugène. Anton Sturm, contemporain exact d'E. Q. Asam, est tyrolien, mais toute sa carrière, de la *Kaisersaal* d'Ottobeuren à la nef de la Wies, se déroule en Allemagne. J. B. Straub (1704-1784), que sa formation en partie viennoise ne détourne pas du rococo, sculpte de grands saints blancs et dorés, et des retables asymétriques, très dégagés de toute structure, pour les églises de Fischer et pour Schäftlarn, Ettal, Andechs. A son élégance un peu sèche s'oppose la majesté mollement romanisante de J. J. Christian (1706-1777, Ottobeuren, Zwiefalten). Chez les Schönborn W. von der Auvera, fils d'un émigré flamand, décore les chœurs de Neumann et F. Tietz, qui vient de Bohême et n'a pas oublié les paysages hantés de Braun, peuple les parcs, tel Veitshöchheim, d'allégories et de bonshommes pittoresques. Mais la sculpture rococo a deux sommets, du côté souabe Joseph Antoine Feuchtmayer (1695-1770), du côté bavarois Ignace Günther (1725-1775). Feuchtmayer, dont les ensembles les plus connus, Weingarten, Saint-Gall, Birnau, entourent le lac de Constance, est tendu, abstrait, et parfois cruel jusqu'à la caricature. Ses plis se serrent et se cassent, il strie et tord nerveusement le tilleul, le matériau des vieux maîtres allemands, au mépris de tout sens qui ne soit symbo-

lique. Les yeux fendus à l'orientale et les paupières baissées
de Günther, son *contrapposto* dansant, paraissent rapprocher
de nous les saints et les héros de Rott-am-Inn, de Weyarn,
de Neustift. Allégresse toute mystique en réalité, et aussi,
plus que jamais, insidieux et systématique enrôlement des
statues en vue de l'occupation et de la structuration de
l'espace. Ces grands gestes, ces mouvements de mitre, ces plis
en diagonale, ces crosses brandies loin des corps à demi détour-
nés, tout cet enchevêtrement de lignes réelles et virtuelles,
relient aux quatre coins du monde le retable, la scène mimée
selon l'indication donnée en 1656 par la *Chaire de Saint-Pierre*.

8 | le néo-classique en Allemagne

Ultime résonance des thèmes berninesques, du moins sur le
vieux continent. Deux ans avant Günther est né J. Dirr, qui
emplira de *putti* néo-classiques le chœur de Salem. La réaction atteint d'abord le décor. Les fresques se dépeuplent,
les statues se figent, les stucs blanchissent, les rocailles cèdent
la place aux guirlandes et aux urnes. Le phénomène est
saisissant à Neresheim, où l'intérieur de l'église de Neumann
n'a pu être terminé qu'après 1780, à Wiblingen, la dernière
des grandes abbatiales bénédictines, dont le plan combine
une fois de plus le rectangle et le rond-point médian, mais
dont la construction n'a commencé qu'en 1772; et encore à
Rot an der Rot (1783), reprise intégrale du *schéma* du Vorarlberg, mais sur le mode compassé, réplique académique de
Friedrichshafen et d'Obermarchtal. Les timides tentatives
pour appliquer les nouveaux principes à l'architecture elle-
même se résument dans la carrière du Nîmois Michel
d'Ixnard : à Saint-Blaise, en pleine Forêt-Noire, il se contente
de reproduire le Panthéon d'Agrippa, et lui ajoute, pour
servir de chœur, un appendice étriqué, incapable d'en
troubler l'écrasant statisme (1764) ; pour les Dames de
Buchau, il dessine en guise d'église une salle gris Trianon
aux tendres statues blanches (vers 1775). En fait, le cœur
n'y est plus. Les « libertés germaniques », complices et pré-
textes, depuis 120 ans, de la frénésie architecturale, commen-

cent à être mises en question. Le monde de 1648, support délicat, vieillot et irrationnel du « baroque allemand », se lézarde dans la montée des Lumières et sous les coups de la Prusse. La société monastique se désagrège. Les meilleurs des moines s'intéressent plus maintenant aux textes qu'à la pierre. Les couvents s'appauvrissent et tel prince gagné au joséphisme fait vérifier leur comptabilité, surveiller leurs rapports avec l'extérieur et interdire les pèlerinages. La génération néo-classique assure la transition entre le *despote éclairé* scrupuleux, Joseph II, et le radical, Napoléon, lequel, tirant à sa manière les conséquences des transformations du dernier tiers du siècle, abolira le Saint-Empire.

9 | la Pologne des rois saxons

Les électeurs de Saxe règnent sur la Pologne de 1697 à 1763. C'est, on l'a vu, l'époque où l'architecture d'Europe Centrale a assimilé l'ensemble des leçons du Seicento, et ce sera, pour une part, l'époque du décor rococo. La Pologne épouse le mouvement.

▶ *Architecture religieuse*

De vastes et solennels bâtiments monastiques (*Cisterciens* de Lubiaz, de Trzebnica), évoquent ceux du monde germanique ; de même l'Université de Wroclaw, construite de 1728 à 1740, à la fin de la domination autrichienne, et maintenant polonaise. Les retables se multiplient, face au public, et s'emboîtent comme en Allemagne en enfilades scénographiques (*Bernardins* de Cracovie). Surtout, les bâtisseurs d'églises, sans bannir le plan oblong, cèdent à l'attrait des figures centrées ; plus précisément, ils combinent les octogones ou les ovales avec des croix grecques ou des dispositions orientées et méditent sur le raccordement des coupoles, selon des modalités qui font songer à J. M. Fischer, et plus encore à K. I. Dientzenhofer.
En Poznanie domine Pompeo Ferrari (1660-1736), que Stanislas Leszczynski a fait venir de Rome (églises d'Obrzyck, 1714, d'Owinska, de Wschow, de Lad, 1730). C. M. Frantz,

après lui, rendra les espaces plus fluides, aplatira les coupoles : à Rydzyna, à Rokitno (1746), la coupole se fond dans ses quatre supports. Dans la région de Lublin, Th. Rezler construit Lubartow, Chelm, Wlodawa (1741), où la nef ovale se compose d'une croix grecque et de quatre chapelles d'angle. Fr. Placidi travaille pour le clergé régulier de Cracovie (Piaristes, Trinitaires) et deux autres Italiens, Joseph et Jacob Fontana, bâtissent plusieurs églises à Varsovie.

Les deux centres les plus actifs et les plus originaux se situent en Galicie et en Lithuanie : le staroste Moszynski élève en 1749 l'église dominicaine de Tarnopol, l'ingénieur militaire Jean de Witte, à partir de 1744, celle de Lwow – coupole cette fois fortement structurée, séparée de la nef, à l'intérieur, par une couronne de baies et de statues, accompagnée dans son ascension, à l'extérieur, par une tour et un portail à colonnes colossales. Bernard Merderer, toujours en Galicie, bâtit Nawaria, Hodowica et, à Lwow même, *Saint-Georges* (1744), la cathédrale grecque uniate, de plan cruciforme, avec son tambour carré et sa façade aux ondulations borrominiennes. L'école de Wilno aime les larges et hautes façades du nord des Alpes, encadrées en général de deux tours : *Missionnaires*, *Sainte-Catherine*, et l'étonnant *Saint-Jean* (1750), où J. Chr. Glaubitz empile trois étages, tout vibrants de colonnes, sur un socle à bossages emprunté à l'architecture civile.

▶ *Architecture civile.*

Dans les châteaux de Grande Pologne, nous retrouvons Ferrari et Frantz. A Rydzyna, au début du siècle, la résidence des Leszczynski et son parc s'articulent avec la ville ; les bâtiments et les dépendances forment un ensemble très soigneusement composé. Sur l'une des façades, d'autre part, apparaît le renflement semi-elliptique d'une salle de bal : c'est la marque du « baroque autrichien ». Cependant le corps principal, carré fermé avec quatre tours d'angle, se rattache encore à la tradition locale.

Vers 1730, dans cette région du moins, les châteaux « s'ouvrent » ; on adopte le plan en U, ou le simple rectangle entre cour et jardin avec, il est vrai, de forts décrochements au centre et aux extrémités. A Pniewy cette disposition moderne, occidentale, n'exclut pas de pittoresques survivances : le pavillon central et ceux des angles ont des pignons sculptés, et des linteaux en pyramide. Chez les Mycielski, à Pepowo, l'emportent les thèmes germaniques. Rogalin, le château des Raczynski, a gardé les trois décrochements, et même le bombement central de Rydzyna, mais le sobre décor évoque irrésistiblement Mansart : bel exemple de « Baroque gelé »...

A mesure que l'on approche de Varsovie la prédominance de l'influence française s'affirme plus nettement et plus vite. Elle s'annonçait dès le règne de Jean Sobieski. C'est pourtant beaucoup plus à l'est, à Bialystok, que nous en trouverons l'un des plus harmonieux témoignages : les Branicki font élargir et surélever, de 1728 à 1735, le château auquel avait déjà travaillé Tylman de Gameren.

Les rois saxons, grands bâtisseurs dans leur Électorat, ont bien entendu appelé à Varsovie bon nombre des architectes de Dresde. Parmi eux Longuelune et Pöppelmann, puis le fils de celui-ci, Charles-Frédéric, mort en 1750. Ils dressent des plans, exécutés en partie seulement, pour un palais royal, et embellissent tout un quartier du bord de la Vistule. Ensuite, sous Auguste III, viendront Chiaveri et J. F. Knöbel (*palais Brühl*, 1757, plans du château de Radzyn, pour le comte Potocki, 1755).

L'avènement du dernier roi de Pologne, Stanislas-Auguste Poniatowski (1764), fournit, pour le changement d'époque, une date commode. En fait, les constructions néo-classiques, ici comme ailleurs, commencent après 1770.

CHAPITRE VIII

L'AMÉRIQUE

Le « Baroque latino-américain » souffre d'une originale contamination avec la nature qui l'entoure et avec les arts « indigènes » qui l'ont précédé sur les mêmes terres. Senti comme art *exotique*, il est impliqué de surcroît dans les problèmes de tous ordres que pose l'évolution d'un art *colonial*. L' « âme espagnole » empêche de *voir* Séville; à Mexico et à Cuzco règne en outre « l'âme indienne », qui a contracté avec la première une union mystique, l'enrichit de prédestinations convergentes, et parfois, bien entendu, se révolte. D'autre part, obnubilés par l'exubérance du décor sculpté, les commentateurs tendent à perdre de vue les structures et à prendre les monuments pour thèmes d'un lyrisme purement descriptif. La légende a gardé ici presque toute son opacité et tout effort d'analyse et de mise en ordre se heurte à des difficultés plus redoutables encore que dans les divers secteurs de « l'Europe baroque ».

I | le Mexique

Au début du XVIIᵉ siècle, l'Église de la Nouvelle-Espagne est *installée*, et l'achèvement des cathédrales (Mexico, 1615; Guadalajara, 1618; Puebla, 1649) témoigne de la solide mise en place de la hiérarchie séculière. Édifices gothico-herrériens et donc purement espagnols, mais où apparaissent déjà quelques conséquences du comportement colonial : les modes successives franchissent vite l'Océan, mais il arrive qu'une mode « dépassée » en Europe se prolonge davantage en Amérique, interfère plus étroitement avec la suivante; il en pourra résulter des combinaisons inédites, des survivances sous forme de stéréotypes détachés de tout contexte, que certains prendront pour les produits de l'imagination « indigène ».

▶ *Puebla et Oaxaca*

On situe d'ordinaire aux environs de 1650 le premier défi caractérisé à l'herrérisme. Il est le fait des régions méridionales et de l'un des ordres mendiants dont les initiatives, secondaires en Europe, marquèrent fortement l'évolution artistique du Nouveau Monde. Les Dominicains d'Oaxaca tapissent l'intérieur de leur église d'une couche de stucs polychromes qui respecte les lignes architecturales, mais cache entièrement le mur et la voûte. A la *chapelle du Rosaire*, construite au même moment par les Dominicains de Puebla, huit têtes d'ange et huit Vertus hiératiques sont plaquées, parmi les épais entrelacs de stuc, contre les pans d'une coupole octogonale. Au sommet, là où en Italie s'ouvrirait une lanterne, s'écrase, hermétique et paradoxal couvercle, un soleil doré.

L'inlassable ciselure de Puebla et d'Oaxaca (v. PL. XXXVII), que les uns rattachent à la tradition toltèque, d'autres, plus simplement, à l'Andalousie, à l'ornementation flamande, aux frises de rinceaux dont Crescenzi a décoré le Mausolée de l'Escorial, passera bientôt des nefs aux extérieurs. Multipliant les méandres de végétations stylisées, répugnant à s'éloigner des surfaces, elle égaiera les façades, concurremment avec les revêtements de céramique de couleur, jusqu'en plein XVIIIᵉ siècle. Elle grimpe en spirales régulières autour des colonnes (*chapelle Saint-Antoine* de Puebla, façade de la *Merci* d'Atlixco, 1700) ou en enrobe le fût d'un épiderme natté (*Rosaire* d'Atlixco) sans jamais, d'ailleurs, en menacer l'autonomie, sans en contester la verticalité. Elle s'étale autour des portails trilobés, des fenêtres et des niches à ébrasement godronné. A la façade de *Saint-François* d'Acatepec, église de village achevée vers 1730, nous retrouvons trois étages nettement marqués, un sage compartimentage,

PL. XXX – F. GUARDI. *Le Doge sur le « Bucentaure »*. ▶

mais ce canevas conservateur ne sert plus que de prétexte
aux jeux bigarrés d'une céramique qui s'est partout substi-
tuée à la pierre.

▶ *Mexico et le Nord jusqu'en 1750*

Plus au nord, et notamment dans la région de Mexico, l'évolution est plus lente ; l'architecture résiste encore pendant un
bon demi-siècle au fourmillement sculptural, aux courbes
et au chatoiement. P. de Arrieta élève jusque vers 1720
(la *Profesa* de Mexico est entreprise en 1714) d'anguleuses
basiliques, fortement équilibrées par la coupole de la croisée
du transept, proches encore du « castillanisme » tridentin
des grandes cathédrales. La manière dont il anime la façade
de la *Guadalupe* (1695) est caractéristique : au centre, un
bas-relief clairement figuratif ; au portail, non les festons
de Puebla, mais une rigoureuse moitié d'octogone ; les
colonnes se multiplient, mais leur fût reste lisse ; l'efflo-
rescence se limite aux petits pinacles pyramidaux qui coiffent
les chapiteaux et scandent les frontons.

A *Saint-Jean-de-Dieu*, un autre architecte de Mexico, Duran,
utilise, en ce premier quart de siècle, un autre type métro-
politain, la façade en revers d'abside ; le décor demeure
très discipliné sous l'énorme cul-de-four et la colonne torse,
fraîchement importée, s'y aplatit, s'y stylise, s'y « linéarise »
en pilastres ondulants et striés.

Mais 1720, c'est aussi la date de *Sainte-Monique* de Guadalajara et de la *Guadalupe* de Zacatecas : entre des ordres dont
la rigidité, la lourdeur, renchérissent sur le XVIᵉ siècle,
le sculpteur émiette systématiquement les surfaces. Les
colonnes mêmes sont attaquées. Le mouvement se développe
surtout dans la riche capitale minière de Zacatecas, et
culminera en 1752 à la cathédrale : les entablements, cette
fois, sont presque dissous, la façade ne consiste plus qu'en
une plaque ciselée, incrustée de statues immobiles. Encore
très distinctes à la base, malgré une écorce de spires digne
de Puebla, les colonnes se confondent davantage avec le
fond à mesure que le regard s'élève, et ne sont plus au
troisième étage qu'algues pétrifiées et gnomes figés en
piles.

▶ *L'âge de l'*estipite

A Zacatecas, un ciseau acharné et lyrique a eu raison de
l'éternel Serlio. Mais Serlio était présent au départ...
Lorsque Lorenzo Rodriguez (1704 ?-1774) construit, sur
un plan cruciforme qui vient d'Italie à travers Grenade,
le *Sagrario* de la cathédrale de Mexico (1749), il ne tire le
dessin de la façade d'aucun schéma architectural traditionnel. Le sculpteur, au lieu de combattre la structure,
la fournit lui-même, simplifiée mais efficace, sous la forme
d'une grille d'*estipites*. Nous avons déjà rencontré en Espagne
l'*estipite*, ce pilastre, ou plutôt ce balustre, à pied mince et à
taille renflée, au profil haché de brusques ressauts, terminé
vers le haut par un empilement de chapiteaux-gigogne, qui
polarise vigoureusement l'exubérance décorative. Il supporte tout, y compris les médaillons et les *putti*, et, en dépit
des étranglements et des tailloirs inutiles qui le barrent sans
cesse, qui empêchent le regard de se poser sur le moindre
tronçon de fût, entraîne tout dans son irrécusable mouvement vertical. Plus plastique et plus robuste à la fois que la
colonne qu'il supplante, il interdit la prolifération inorganique de la ciselure superficielle, et donne de la sorte à l'art
mexicain du milieu du XVIIIe siècle, au moins autour de
la capitale, sa monumentalité.
La source de ce renouvellement se situe bien entendu en
Espagne, et, plus précisément, dans le retable espagnol.
C'est J. de Balbas, auteur du *Sagrario* de la cathédrale de
Séville, qui a introduit l'*estipite* à Mexico (cathédrale, retable
des Rois, 1718). Mais dans les grands retables « churrigue-
resques » issus de Balbas, la composition perdra de sa fermeté
architectonique, et les axes verticaux succomberont finalement sous le poids des scènes sculptées et des dais (*Saint-
Augustin* de Salamanca, 1768). En revanche, aux façades de
Taxco (v. PL. XXXV), de Tepotzotlan, d'Ocotlan, à celles de la
région de Guanajuato, l'*estipite* accompagne et souligne, mieux
encore qu'il ne pouvait le faire au court *Sagrario* de Mexico,
l'élan de l'architecture. Le charme d'Ocotlan tient à l'alternance blanc-rouge : la brique nue des bases des tours encadre
l'éblouissant décor du centre de la façade et l'articule avec

celui des clochers. Les « blancs » forment ainsi un V triomphal qui dilate et guide vers le ciel l'explosion en étoile de la fenêtre centrale, et qui interfère d'autre part avec l'A du portail : l'architecte a réalisé au rez-de-chaussée, en juxtaposant des *estipites* dont la hauteur s'accroît vers le centre, une originale transposition de la façade en pyramide. Il y a moins d'équilibre et de grâce dans les sanctuaires « miniers » de Guanajuato, la *Valenciana, Saint-Jean de las Rayas*, produits de la deuxième « ruée vers l'argent ». Mais la poussée ascensionnelle s'y manifeste avec autant de netteté, résumée par le trio traditionnel : deux tours de façade et une coupole sur tambour.

▶ *La réaction de 1770*

L'*estipite* ira plus loin encore vers le nord : on le trouve au *Carmel* de San Luis Potosi, à la *Guadalupe* d'Aguascalientes (1767). Il cerne d'autre part, écrasant, le porche du *palais du Gouvernement* de Guadalajara. Mais vers 1770 Guerrero y Torres le chasse de Mexico. Ce jeune créole commence à épurer les lignes et à dégager les structures – plus sensible peut-être à un ensemble diffus de suggestions européennes qu'aux influences ibériques proprement dites. Les savantes arcades surbaissées, croisées et diaphragmées, de l'ancien patio du *palais Valparaiso* (1769) dénotent de tout autres préoccupations que les décors blanc et rouge de la première moitié du siècle (*Collège des Vizcainas*, 1734). La chapelle du *Pocito*, surtout, marque une rupture radicale avec le rectangle de la Contre-Réforme que l'on a jusque-là surchargé d'ornements, mais respecté (1779). Cet alignement d'espaces centrés et curvilignes se rattache-t-il à la « tradition du pèlerinage » qui affleure souvent en Europe Centrale ? Il évoque autant certaines silhouettes bavaroises, en tout cas, que le plan de Serlio auquel se réfèrent Kubler et, sans trop y croire, Kelemen. Quant à l'enveloppe, elle combine un certain nombre de thèmes sévillans et mexicains de l'époque qui se termine : chatoyante céramique aux trois coupoles et aux trois lanternes, colonnes cannelées, gables et linteaux dentelés, bichromie et fenêtre étoilée comme à Ocotlan, panneaux ciselés comme à Puebla.
Dès 1786 un autre créole, Ortiz de Castro, pose sur les

tours de la cathédrale de Mexico les couronnements en
cloche que Ventura Rodriguez, trois ans avant, avait
installés à Pampelune. Transmission foudroyante... Les
véritables œuvres néo-classiques (*École des Mines* de Mexico,
Carmel de Celaya) n'apparaîtront cependant que dans les
dernières années du siècle, avec un fort décalage cette fois
sur leurs homologues métropolitains.

2 | l'Amérique Centrale

« Baroque des tremblements de terre », a-t-on dit de l'architecture guatémaltèque et nicaraguayenne : il ne s'agit pas
d'une formule littéraire, mais d'un programme. L'instabilité
du sol a imposé dans l'isthme un type caractéristique de
construction trapue, de façade coincée entre deux énormes
donjons carrés. On sait d'ailleurs que la première capitale de
la Capitainerie générale du Guatemala, la Antigua, a
finalement été abandonnée après le séisme de 1773, et qu'il
n'en reste plus que des ruines.
De l'Antigua de la seconde moitié du xviie siècle subsistent
la façade (reconstituée) de la cathédrale et l'église de la
Merci; sur les môles cyclopéens qui épaulent la façade de la
Merci, à la place des tours, s'empilent des pavillons dont la
hauteur totale n'excède pas celle du pignon médian. Les
huit colonnes de la façade proprement dite ont elles-mêmes
pris de l'épaisseur. Leurs fûts, par compensation, se sont
couverts, ainsi que toutes les surfaces libres, d'une ciselure
dont la fine prolifération rappelle Puebla. Ciselure encore
dans les églises de 1730, mais répartie plus subtilement, en
compositions plus animées. Au *Carmel* les vingt-quatre
colonnes, groupées deux à deux sous de petits frontons
étonnamment réguliers, se détachent de la façade et vont
en quinconce au-devant du visiteur. A la génération suivante, dix ans avant la désertion de la ville, le *mestizo*
Ramirez reconstruit l'Université; il retrouve dans la cour,
en dépit des piliers massifs, la grâce des *Escuelas* de Salamanque et dans les hublots à huit pans du long mur extérieur
celle des *Vizcainas* de Mexico.

L'église de pèlerinage d'Esquipulas (1735-1785) nous ramène à l'herrérisme enrichi du *Pilar* de Saragosse : c'est une immense et robuste halle rectangulaire, accentuée aux quatre coins, et revêtue de magnificence froide. Le contraire du *Pocito* ? En apparence seulement, car les frêles rotondes de Guerrero ne correspondent pas fonctionnellement à la forteresse guatémaltèque, mais au sanctuaire qu'elle cache, à la partie la plus intime de l'espace intérieur, celle où les fidèles s'agenouillent devant le Christ noir. Esquipulas, comme son homologue aragonais, c'est le *Pocito*, plus un environnement protecteur et relativement neutre. Le *Pocito*, c'est la *cella* détachée du temple.

Habilement confondue à Esquipulas avec la noblesse herrérienne, la structure anti-sismique étire et plaque au sol bien d'autres édifices, telles l'église franciscaine d'Almalonga ou la cathédrale de Léon, au Nicaragua. A Guatemala, la nouvelle capitale, *Saint-Dominique* nous la montre transposée sur le registre néo-classique, rationalisée et, à force de cohérence, privée de toute vie.

3 | l'Équateur

Province marginale, où la prédominance monastique s'est affirmée très tôt, et a assuré une exceptionnelle continuité. La politique « intégrationniste » des Réguliers et leur recrutement international ont déterminé deux caractéristiques : importance des artistes indiens ou métis, et faculté d'assimiler les influences européennes les plus diverses.

Quito compte parmi les grandes capitales de la sculpture. Ses chaires sont célèbres, et notamment celles de la fin du XVIIIᵉ siècle (Jésuites, *Saint-François*, la *Merci*); elles ont inspiré des ouvrages analogues en Colombie (*Saint-François* de Popayan). Les ateliers quiténiens, et en particulier au XVIIIᵉ siècle ceux de Legarda, puis de Caspicara, ont également exporté d'innombrables statues de bois peint, et ont profondément marqué l'iconographie américaine; on leur attribue l'invention et la diffusion d'une étrange Madone militante, d'une Vierge chez qui l'on reconnaît les yeux

baissés et la tendre torsion de la *Purisima* sévillane, mais
aussi des ailes et un dard flamboyant venus de l'Apocalypse.
Comme au Mexique, un décor *total* submerge l'intérieur des
églises : murs, piliers, voûtes, retables, chaires et orgues
« prennent » en une masse sculptée et ciselée, dont la polychromie est dominée par le rouge et l'or. C'est d'ailleurs
en Équateur et en Colombie que reparaît le plus clairement
la tradition *mudéjar* d'analyse exhaustive des surfaces :
certains plafonds se résolvent en labyrinthes abstraits, à
la tolédane. Les colonnes des *mamparas* (portes des *Sagrarios*)
subissent une impitoyable dissection ; le pampre eucharistique ne s'enroule plus autour des spires : la colonne elle-
même est devenue cep et bruissement de feuilles.

Les *Jésuites* de Quito possèdent néanmoins l'une des façades
les plus solidement articulées du continent, l'une des plus
« européennes » : la richesse s'y concentre dans le faisceau
des verticales médianes (Leonhard Deubler, 1722). Et il
faut rappeler que 150 ans plus tôt, devançant toute l'Amérique, et en partie l'Europe, les Franciscains de Quito,
inspirés peut-être par la Flandre d'où étaient venus les
premiers d'entre eux, inventaient l'un des beaux types de
façade des pays andins : un robuste massif à deux tours,
rigoureusement équilibré, entièrement barré de bandes
horizontales qui sanglent les colonnes engagées des travées
latérales, les relient au portique central, et empêchent celui-
ci de se détacher en hors-d'œuvre, à l'espagnole.

4 | la Colombie

Détachée du Grand Pérou, la Colombie forme en 1717,
avec l'Équateur et Panama, la Vice-Royauté de la Nouvelle-
Grenade, à laquelle s'adosse la Capitainerie générale du
Venezuela. La partie méridionale du pays, y compris Bogota,
subit en général la forte influence de la pieuse et minutieuse Quito ; les ports de la rive atlantique partagent plutôt
l'évolution irrégulière et inquiète des villes des Caraïbes,
à qui la mer apporte la richesse et des suggestions espagnoles
toutes fraîches, mais aussi une constante menace : la plus

importante construction du xviiie siècle, à Cartagena, ce
sont les bastions et les échauguettes de l'ingénieur Antonio
de Arevalo (1765); les églises y sont murées, nues, fermées :
au « Baroque anti-sismique » des montagnes répond, sur les
côtes trop fréquentées, un « Baroque anti-corsaires ».

Tunja, vieille cité résidentielle et monastique, a fait appel,
dès les dernières années du xvie siècle, aux artistes quiténiens. L'extérieur de ses églises est austère ; c'est à peine si le
camarin en encorbellement, transposition colombienne d'un
thème espagnol, en agrémente le chevet. Mais leurs nefs
étroites, au plan rudimentaire, qu'interrompent seulement,
à l'entrée du chœur, de grandes arcades en tiers-point, sont
pleines d'ornements et de meubles sculptés, et couvertes
de charpenterie *mudéjar*. On songe — sans qu'il y ait de
rapport historique – aux sanctuaires-boîtes intimes du
Portugal et du Brésil. Sur les solives armoriées de *Sainte-
Claire*, la plus parfaite de ces églises, sont appliqués un immense soleil mi-chrétien, mi-indien, et des têtes de séraphins,
moyeux d'ailes rayonnantes ; comme presque toujours en
Amérique Latine, de stricts cadres octogonaux bloquent
l'expansion centrifuge de ces glorieuses figures, et les séparent
de leur environnement.

A Bogota, les sculpteurs sur bois conservent longtemps,
sinon les mêmes motifs, du moins le même système de décoration (plafond de la *Candelaria*, achevée en 1703). Au
xviiie siècle, le principal foyer artistique semble être à
Popayan, ville proche de la frontière équatorienne, qu'un
tremblement de terre contraint d'ailleurs, en 1736, à une
reconstruction partielle. Annexe de Quito par ses chaires
et ses Madones, raffermie dans sa foi par les prédications
des moines quiténiens, Popayan crée pour son compte,
comme si elle oubliait le cauchemar andin, de larges
façades dégagées, accompagnées, et non étayées, par une
tour unique. Les ordres ne s'y resserrent pas selon l'inva-
riable schéma du retable : ils fournissent aux Franciscains
un ample rythme, « classicisant » à la base, peu à peu nuancé
de « maniérisme » par les courbes et les obélisques mou-
chetés des frontons supérieurs. Les Dominicains les conden-
sent au contraire en un unique quatuor de troncs annelés,

ciselés comme des totems, oblitérant un grand mur blanc, et contrastant avec l'élégance tout andalouse du campanile.

C'est à Cali, non loin de Popayan, que paraît culminer le « mudéjarisme » colombien : le clocher quadrangulaire de *Saint-François* (vers 1760), avec sa silhouette vaguement almohade, ses céramiques multicolores et sa fenêtre à arc polylobé, la rustique façade de *Santa Librada*, avec son portail *linéaire* aux adorables et gratuites arabesques, reconstituent parmi les volcans du Nouveau Monde un Aragon de fantaisie.

5 | le Pérou et la Bolivie

▶ *L'art de Cuzco*

A peu près en même temps que le Mexique, le Grand-Pérou achève ses cathédrales, Lima vers 1620, Cuzco vers 1650, Sucre dès 1600. Il semble en retard d'une mode, très médiéval encore, fermé même à l'herrérisme. Au milieu du siècle, pourtant, un grand mouvement commence; date très précise : c'est celle des travaux qui, à Cuzco, suivirent le tremblement de terre de 1650. La rude façade de la cathédrale, aux proportions guatémaltèques, reçoit un portail à ordres superposés dont la netteté et la délicatesse évoquent les façades-retables de Martin de Olinda, mais qui les devance par ses étagements et sa convexité, par ses arcades interrompues et ses frontons en volute. L'église entreprise à la même époque par la Compagnie se présente comme un véritable centon : chapelles latérales réduites à des niches pour retables, coupole sur tambour, galerie de circulation à la base des voûtes, et même pseudo-croisées d'ogives flamboyantes. Mais à la façade, de nouveau, l'organisation de la poussée ascensionnelle, qui disloque les horizontales sans les détruire, et gonfle l'entablement supérieur en trilobe, montre la voie à l'architecture métropolitaine elle-même.

Voie que quittera d'ailleurs l'art de Cuzco : les églises de l'évêque Mollinedo (1673-1699), *Saint-Pierre, Bethléem*, paroisse suburbaine de San Sebastian, marquent une stabi-

PL. XXXI – J. DIENTZENHOFER. Château de Pommersfelden. ▶

lisation, un alourdissement, de la façade-retable. Les colonnes retrouvent leur densité; les entablements gardent leur courbure, mais se referment. Ainsi dans la vieille capitale, où l'Indien Tuyru Tupac exerce, comme pour dissiper nos préjugés sur « l'art indigène », une influence « classicisante », et jusque dans des villages proches du lac Titicaca, comme Lampa (1678). A Asillo cependant, trois étages de colonnes solidement assises les unes sur le chapiteau des autres, et pesamment baguées, encadrent des tympans aux bas-reliefs épais et plats : la pureté, l'austérité cuzquègnes se heurtent aux traditions pittoresques et figuratives de l'Altiplano.

▶ *L'art de Lima*

En 1699, les Franciscains de Lima insèrent, entre deux tours horizontalement scandées comme celles de leur église de Quito, le portail subtil et vibrant des *Jésuites* de Cuzco. Mieux que cette belle œuvre ramassée, le cloître de *Saint-François*, dont les arcades alternent gracieusement, à l'étage supérieur, avec des panneaux percés d'ouvertures ovales, oppose un « ton liménien » aux graves styles des Andes. Lima s'est toujours efforcée de répondre par la souplesse, par la légèreté du matériau, non par la masse, par l'adhé-rence, aux menaces de tremblements de terre : après la catastrophe de 1746, on refait les voûtes sur ogives de la cathédrale – qui étaient déjà de simples briques – mais en *quincha*, en bois et argile. Le décor liménien, d'autre part, *sort* du mur, à l'intérieur des édifices comme à l'extérieur, sous la forme notamment de coins de frontons nettement découpés (porte de la sacristie de *Saint-François*, retables de l'église *Jésus-et-Marie*, portail du *palais Torre Tagle*, achevé vers 1735 pour un hidalgo venu guerroyer contre les Indiens araucaniens, un conquistador d'arrière-saison...). Riche certes en couvents, la capitale des vice-rois fut, plus que tout autre ville d'Amérique espagnole, une ville laïque, et son cosmopolitisme déborde largement celui que garantit ailleurs la diversité des vocations franciscaines ou jésuites : il s'ouvre sur les Philippines et l'Extrême-Orient comme sur la France de Louis XV et de Louis XVI. Ville des hermétiques balcons de bois ouvragé où les femmes se cachaient, à l'orientale, pour regarder la rue, des patios aux pavés de couleur, aux portes en accolade dentelée, aux galeries sur consoles de bois sculpté *(palais Torre Tagle)*. Ville, nul ne l'ignore, des gracieuses et semi-rustiques *quintas*. La *Quinta de Presa*, « folie » du comte F. Carrillo y Albornoz (1766), offre un curieux exemple d'interprétation « coloniale » d'un type européen : l'architecte semble avoir eu sous les yeux des gravures de châteaux avec pavillon central en saillie. Se méprenant sur l'effet de perspective, ou jugeant plus simple et plus économique de dresser une façade rectiligne (ou encore, ne sachant comment utiliser le décrochement dans l'organisation intérieure), il se contente de *figurer* le relief en abaissant symétriquement la corniche à droite et à gauche des trois travées médianes. Cette naïveté – ou cette rouerie – nous procure un délicieux *Gartenpalast* en trompe-l'œil. Des fenêtres pourvues d'encadrements énormes et de balcons rebondis se détachent, très sombres, sur un enduit de plâtre blanc et rose. Le décor des salons, moins original, a la grâce du rococo allemand.

Autre importation peu prisée hors de Lima : le plan curviligne. L'église des *Orphelins* (1742, rebâtie en 1766) présente la traditionnelle façade-retable entre deux tours, mais sa nef est ovale. Il est malheureusement difficile d'y démêler la part des initiatives du P. Johann Rher, architecte de la Compagnie, né à Prague. Quoi qu'il en soit, avec la reconstruction d'après 1746, et surtout avec l'arrivée, en 1761, du vice-roi Amat, la diffuse influence de l'Europe Centrale, comme ce qu'on est convenu d'appeler le churriguerisme, commencent à reculer, même dans le domaine de l'architecture religieuse, devant une réaction d'inspiration française. Manuel Amat y Junyent, Catalan qui a reçu une formation d'ingénieur militaire et qui représente en Amérique l'Espagne *éclairée* de Charles III, projette de grandes rationalisations urbanistiques, d'esprit « versaillais », et dessine vers 1770, dit-on, l'église des *Nazarenas*. Il s'agit, comme des centaines d'autres fois, d'une croix latine à chapelles atrophiées et à coupole. Le centre quadrillé de la façade forme encore retable, et les deux épaisses tours, bien que leurs bossages aient perdu beaucoup de leur relief, ne laissent pas oublier celles des Franciscains. Mais la largeur de la nef et la clarté de l'élévation montrent à l'évidence, lorsque l'on compare les *Nazarenas*, par exemple, aux *Jésuites* de Cuzco, que le Pérou côtier entre dans une autre époque.

▶ *Arts de l'Altiplano*

Dans les régions de l'Altiplano qui échappent au rayonnement direct de Cuzco, l'architecture pèse de tout son poids sur le sol sournois, élargit les façades plus qu'elle ne les élève. Les surfaces se couvrent de cette sculpture rampante que nous avons vu se glisser aux confins de deux zones, à Asillo.

Au nord, à Cajamarca, les motifs phytomorphiques disputent aux alignements géométriques la façade de la cathédrale (1699). La pierre des colonnes est rongée, ajourée, comme le bois des *mamparas* et des retables quiténiens, se décompose en feuilles et en lourdes grappes. Mais d'autres décors évoquent un répertoire moins connu ; l'explication « indigène », le recours à l'art *mestizo*, semblent seuls pouvoir rendre compte du tapis d'arabesques qui s'étale au tympan de l'*Hôpital des Femmes* ou des motifs de l'intrados de la coupole d'*El Belen* : cercles concentriques de rosaces et d'entrelacs abstraits, anges aux jupes évasées dont les bras, levés comme des bras d'atlantes, ne portent rien.

Au Sud, à Arequipa, sur la route qui menait du Pacifique à la capitale inca, l'originalité est plus manifeste encore. L'église des Jésuites – dont la coupole et les coupolettes dénotent d'ailleurs de tout autres aptitudes que celles de simples décorateurs « naïfs » – présente une façade entièrement ciselée, *brodée* de fins motifs réguliers, symétriques, sans relief et sans hiatus. Ce décor léger, aussi strictement bidimensionnel qu'un décor de tissu, et qui, lorsqu'il se risque sur les colonnes, n'en attaque pas la masse comme le décor de Cajamarca, se retrouve dans les villages de la région et, à Arequipa même, jusque sur les murs des hôtels seigneuriaux *(Casa de Moral)*. Il fait grand usage des fruits symboliques, des torsions de lianes et des larges fleurs ouvertes, plaquées côte à côte comme entre des pages d'herbier. Il encadre, aux tympans des portails, des saints raccourcis, aplatis, brutalement stylisés, entourés d'anges ou de sirènes. Les douze anges de pierre, cloués à plat sous la coupole de Chihuata, leurs jambes raides pendant à bonne distance des socles vides, nous emmènent bien loin de la sculpture « expressive » de l'époque, des Madones de Caspicara et des chérubins rococo.

Les villes proches de la rive occidentale du lac Titicaca se distinguent les unes des autres par leur manière d'inciser plus ou moins profondément la pierre, de faire courir la « broderie » sans interruption d'un bord du mur à l'autre ou de l'enfermer dans des panneaux et des bandes, d'insérer à l'occasion, parmi les oiseaux picorant bénignement les grappes eucharistiques, les têtes de fauves échappés de Lévi-Strauss. A la cathédrale de Puno la ciselure *mestizo* se combine avec les lignes droites d'une façade-retable qui retrouve en plein XVIIIe siècle l'équilibre de la Renaissance. A Juli elle forme de somptueux portails sur la façade basse de maisons couvertes de chaume. A *Saint-Jacques* de Pomata (premier tiers du XVIIIe siècle), elle se concentre aux articulations d'une nef longue et sombre comme une nef romane, aux ébrasements des fenêtres qui pénètrent la voûte, aux pendentifs de la coupole. Elle n'est nulle part plus dense, plus souple et en même temps plus acérée. Les pétales n'ont plus la mollesse étalée d'Arequipa : ils se creusent en triangles pleins d'ombre, aux angles vifs, groupés en étoile; les feuilles découpent des rigoles profondes et régulières dans ces tapisseries ininterrompues; de petits personnages s'y nichent, les membres à peine plus gros que les tiges des plantes environnantes.

Un peu de cette élégante précision reparaît à *Saint-François* de La Paz. A *Saint-Dominique* au contraire, le trait est plus large, la végétation plus épaisse, plus pulpeuse, plus « indienne », et il s'y mêle des perroquets et des têtes de puma.

Potosi, la ville des mines d'or, marque la limite méridionale de l'art *mestizo* du Grand Pérou. Au portail de *Saint-Laurent* (1728) triomphe une technique proche, dit-on, de celle du bois, qui pulvérise la pierre, réduit le mur, les colonnes et les entablements – étonnamment rigides, comme à Zacatecas – à un minuscule dénominateur commun, les subdivise impartialement en une infinité de motifs juxtaposés. La sculpture andine ne parvient pas ici, comme on l'a répété, à un sommet, elle perd son pouvoir de styliser les éléments empruntés à la nature ou aux répertoires européens, et de les combiner à nouveau en plaques homogènes et vibrantes. Pouvoir qu'elle conserve aux portails *liés*, composés, des bâtiments civils (*maison du Corregidor*, Université, *palais Otavi*). Mais l'originalité de Potosi, ce sont les clochers à arcades, chargés de colonnes torses, qui surmontent les façades d'églises. A *Sainte-Thérèse* les arcades s'étagent en pyramide. Chez les Jésuites, elles forment un arc de triomphe à trois baies et deux niveaux, qui, dressé sur le toit de l'église, découpe en plein ciel ses entablements à ressauts.

6 | les pays de la Plata

On sait quel rôle jouèrent les Jésuites dans les pays qui bordent le Rio de la Plata, depuis la fin du xvie siècle jusqu'à leur expulsion, en 1767. L'architecture argentine leur doit sa relative simplicité fonctionnelle et son éclectisme. Leur église de Cordoba (1645-1671) a gardé la nudité de ses murs; elle est célèbre pour sa voûte et sa coupole de bois, œuvres d'un Père belge, Philippe Lemer, qui avait été, dit-on, charpentier de navire avant de prononcer ses vœux, mais qui, surtout, avait étudié dans Philibert Delorme les moyens de « bien bastir et à petits fraiz ».

L'architecte le plus fécond de la première moitié du xviiie siècle est le P. Blanqui, simple assistant du P. Kraus à *Saint-Ignace* de Buenos Aires (1712-1734), mais auteur principal du *Pilar* (1716-1732) et de la cathédrale de Cordoba, commencée vers 1700 par le maçon andalou Gonzalez Merguete, et terminée en 1758. Un plan emprunté à Herrera – celui de la cathédrale de Valladolid, non celui de l'Escorial – procure à la cathédrale de Cordoba le large empattement cher aux communautés installées non loin des Andes. Devant cette masse, Blanqui dresse une façade albertienne, en arc de triomphe; au-dessus, à partir du niveau du toit de la nef, il se livre à d'étonnantes fantaisies. Aux deux tours épaisses, mais égayées d'allusions disparates, répond une coupole buissonnante comme certains *cimborios* de Castille.

Après la mort de Blanqui, le Savoyard Masella s'inspire de sa manière à la cathédrale de Buenos Aires (1752) et le Bavarois Harls introduit quelques courbes et contre-courbes d'Europe Centrale dans les églises des grands domaines ruraux de la Compagnie (Santa Catalina, près de Cordoba, 1754).

Contemporain de Blanqui, arrivé en même temps que lui sur les bords de la Plata, le P. Primoli (1673-1747) travaille au Paraguay, dans la zone des *réductions* guaranis. La plupart des églises de mission, à cette époque, se construisent en grande partie en bois, telle Yaguaron (près d'Asunción, 1761), dont les « murs-rideaux » sont enveloppés d'un péristyle de poteaux portants. Primoli – faut-il rappeler à ce propos son origine lombarde ? – apporte dans les forêts l'art de voûter en pierre, et il fait décorer par des sculpteurs indiens ses murs et ses portails (Trinidad, vers 1740).

7 | la peinture en Amérique espagnole

L'intérêt de la peinture mexicaine, colombienne, équatorienne et péruvienne vient dans une large mesure, on l'a remarqué, de ce qu'elle procède moins que l'architecture des expériences proprement espagnoles. L'Amérique est sur ce point fille de « l'autre Europe » tout entière. Elle tire son répertoire, et en principe ses techniques, des ateliers andalous, certes, mais aussi de ceux d'Anvers ou d'Augsbourg et, bien entendu, de ceux d'Italie.

Pendant une bonne moitié du XVIIe siècle, Zurbaran et Rubens se partagent « l'école » de Mexico. Au premier se rattache par exemple le créole José Juarez (vers 1615-vers 1667), qui imite dans son *Épiphanie* (1655) la richesse calme, le recueillement plein de réserve, et, à quelques permu-

tations près, la disposition des personnages, d'un des tableaux
du retable de la Chartreuse de Jerez. Au contraire les vastes
compositions d'un Cristobal de Villalpando (vers 1652-1714)
renchérissent sur l'éloquence et l'éclat rubéniens (*L'Église
militante* de la cathédrale de Mexico, et le *Triomphe de
l'Église,* dont l'éclectique tumulte emporte tant bien que
mal une Vierge de Murillo).
Mais la présence européenne ne se confond nullement avec
le rayonnement des grands peintres contemporains. Elle
est surtout assurée par les gravures, les livres de dévotion
illustrés, les cartes armoriées. Ce flot de documents, fort
mêlé par définition, qui transite par l'Espagne, mais sort
en grande partie d'imprimeries comme celle des Plantin,
a pris naissance en plein XVIe siècle, et il ne se renouvelle
pas au rythme des découvertes ou des succès des artistes
du Vieux Continent. Ses déterminations sont plus commer-
ciales qu'esthétiques. P. Kelemen a mis en lumière le rôle
de maisons d'exportation comme celle des Forchoudt
d'Anvers qui, à partir de 1650 environ, ravitaillent l'Allemagne en paysages, l'Espagne en images pieuses, le Portugal
en scènes mythologiques, et dirigent sur Cadix, le grand
port d'embarquement pour les Indes, avec toutes sortes
de produits de luxe et de demi-luxe, des centaines de repro-
ductions d'œuvres d'art. On sait l'importance des gravures
flamandes en Europe même : elles ont suggéré à Velazquez
la pose de sa Vénus et l'effet de lances de la *Reddition.* Mais
il faut souligner que, pour nombre de peintres d'Amérique,
les sources graphiques deviennent peu à peu exclusives;
s'ils ne traversent pas l'Atlantique, s'ils ne travaillent pas
sous la direction d'un maître fraîchement débarqué, ils
sont prisonniers de ce monde noir et blanc, abstrait, de héros,
d'objets et de gestes que cesse parfois d'expliquer un contexte,
dont rien, pas même (surtout pas !) le monde où ils vivent,
la « Nature », ne les distrait, et où leur métier consiste essentiellement à introduire la couleur, ou la dorure.
Les résultats sont variables : tantôt le peintre s'efforce de
reconstituer à partir de la gravure, à grand renfort de clair-
obscur et de perspective, le tableau dont elle procédait : un
Saint Sébastien de J. Palma, gravé par M. Sadeler, se retrouve

ainsi, avec sa banale torsion maniériste, simplement inversée comme si on l'avait copiée dans un miroir, chez un anonyme de Cuzco. Tantôt une transposition s'opère en dépit du maintien presque intégral des attitudes et des « expressions » des protagonistes : les ateliers cuzquègnes produisent vers la fin du XVIIᵉ siècle un groupe de *Sainte Anne et la Vierge* qui, grâce à la réduction de la « profondeur de champ », à l'élimination de futiles angelots, à la bigarrure des costumes inspirés de l'*estofado* des statues d'église, à un semis de fleurs venu peut-être de Zurbaran, fait très vite oublier le parfait, édifiant et ennuyeux modèle – dessiné pourtant par Rubens. Ailleurs « l'image de référence » est encore schématisée, ou bien découpée, ou pittoresquement enjolivée, au gré des besoins du culte populaire. Kelemen a pu rassembler sous nos yeux, précieux exemple, quelques avatars d'un *Saint Jacques tueur de Mores* issu au milieu du XVIIIᵉ siècle d'un missel des Plantin : à Quito, le Saint, très fidèlement reproduit, éclipse à peu près complètement les combattants chrétiens et infidèles répartis autour de lui par le graveur d'Anvers ; il est en quelque sorte photographié en gros plan. Un fresquiste péruvien, au contraire, grossit les comparses, et remplace le conventionnel et indifférent tohu-bohu des Mores vaincus par une ligne, impeccablement mise en perspective, de croupes de chevaux fuyards (église du village de Checacupe). A Mexico et à Cuzco, une autre influence a interféré – la même exactement dans les deux cas –, et nous nous éloignons du chromo et de l'anecdote, de l'imagerie rustique : l'évocation du *Matamoros* vu de trois quarts et non plus de profil, doré et empanaché, tourne au portrait équestre.

De la troupe immense et mal recensée des démarqueurs d'estampes émergent plusieurs personnalités, tels Miguel de Santiago (vers 1625-1706), métis de Quito, habile à noyer ses Vierges et ses anges dans les vapeurs murillesques, ou le Bolivien Melchor Pérez Holguin, né vers 1660, le grand peintre de Potosi. Mais les œuvres les plus attachantes demeurent sans doute celles des obscurs peintres populaires de Cuzco et de l'Altiplano péruvien, avec leurs processions de la Fête-Dieu menées par des chefs indiens, leurs idylliques

Pl. XXXIII – J. M. Fischer. Eglise de Diessen. ▶

allégories *(L'Amérique nourrissant les jeunes nobles espagnols)* et leurs archanges vêtus à la mode de Louis XIV et épaulant un fusil, inspirés peut-être, suppose M. Soria, par les planches d'un manuel d'infanterie européen...

Mexico s'affranchit dans une certaine mesure de l'industrie flamande, au xviiie siècle, grâce aux portraitistes des grandes familles, à leurs savoureuses hésitations entre la recherche du « réalisme psychologique » et la confection d'idoles. Portraits pittoresques comme celui de Doña Josefa de Sardaneta, massive épouse d'un roi de l'argent (J. Fernandez, 1770), inquiétants comme la *Dona Maria Romero* d'I. M. Barreda (1794), curieusement plantée dans un espace vu en plongée, et non selon la perspective classique. Portraits, surtout, des jeunes religieuses somptueusement parées pour la cérémonie des vœux, les bras chargés de fleurs artificielles, le regard absent sous une couronne plus lourde que celle de l'Empire (*Sœur Marie-Ignace du Sang du Christ*, J. de Alcibar, 1777). Cavaliers, enfin, dont on ne peint que le visage et les mains : le cheval et l'habit sont savamment calligraphiés, tressés de boucles et de paraphes (*Le Vice-Roi Galvez*, 1785) ; défi de « primitifs » au « réalisme » moderne ? Nullement : le procédé était utilisé, cent ans plus tôt, à Amsterdam.

8 | l'architecture brésilienne

Étroitement solidaire du Portugal, l'art brésilien n'entretient aucune relation avec celui du reste de l'Amérique. On n'y détecte aucune réminiscence précolombienne. Plus soucieux de variété et de recherche que l'art des colonies espagnoles, il s'accommode moins docilement, surtout à partir de 1700, des partis architecturaux de la Contre-Réforme ; s'il réalise lui aussi de somptueux, d'écrasants décors intérieurs, si d'autre part il incurve, fouille et ramifie, au xviiie siècle, les portails, les linteaux et les frontons, il répugne à couvrir les surfaces extérieures de sculpture continue : la façade des *Tertiaires franciscains* de Bahia (1706) constitue une exception.

Au XVIIe siècle, le clergé régulier domine l'architecture. Les plus opulents et les plus hardis bâtisseurs d'églises seront ensuite, fait original, les *confréries*, en particulier le Rosaire, où les Noirs sont admis, et les aristocratiques Tiers-Ordres de Saint-François et des Carmes. Les confréries sont en général des associations laïques, mais les prêtres ont aussi les leurs. Leur importance s'accroîtra encore dans l'État de Minas Gerais, où le roi a interdit de fonder des couvents.

▶ *Fin du XVIIe siècle : Bahia*

Les Jésuites, qui ont joué ici, comme en Argentine, un rôle comparable à celui des Ordres Mendiants au Mexique, donnent le signal de la reprise des constructions après la crise provoquée par les expéditions hollandaises : ils ajoutent à leur collège de Bahia, en 1657, une grande église dont les pierres (et le plan) sont importés de la métropole. Exemple parfait de la « simplification » portugaise : un rectangle sans la moindre saillie enferme, non seulement la nef et ses huit chapelles latérales sans profondeur, mais la vaste sacristie transversale et les deux couloirs qui y conduisent. Entre ces deux espaces, le « chœur », la *capela mor*, ne forme qu'une subdivision intérieure, le « coin-autel » de ce vaste « séjour » sans repli et sans mystère. Elle est flanquée de deux chapelles plus basses : de face, l'ensemble se présente comme un arc de triomphe. La façade, avec sa rangée de fenêtres, a le large équilibre séculier de celles de Terzi.

Avec cette structure intégrée, à couverture de bois, rivalise encore la structure articulée, comportant voûte de pierre et coupole, à l'italienne. A Bahia même, l'intérieur des églises des Carmes *(Sainte-Thérèse)* et des Bénédictins, commencées en 1670 et 1680, s'organise en croix latine, les tribunes gardant il est vrai ces simples fenêtres rectangulaires qui donnent à la nef l'aspect si « portugais » d'une rue couverte. A l'extérieur, la *capela mor*, sinon le transept, forme saillie.

▶ *Première moitié du XVIIIe siècle*

Au début du XVIIIe siècle, après les découvertes minières qui font du Brésil un pays richissime et sûr de lui, le second

type s'efface presque complètement devant le premier.
A la *Madre de Deus* de Recife, le plan des *Jésuites* de Bahia
est encore simplifié : la *capela mor* forme une baie unique au
bout de la nef, et les chapelles latérales ont cédé la place à des
niches à retables. Nous retrouvons l'église-boîte déjà ren-
contrée au Portugal. Mais les couloirs qui, à Bahia, enca-
draient seulement la *capela* et débouchaient au haut de la
nef, face aux fidèles, enserrent maintenant la nef sur toute
sa longueur, et permettent au clergé de circuler hors de
toute vue du portail d'entrée jusqu'à la sacristie. Le paral-
lélépipède de la nef est maintenant complètement enrobé
dans un système très équilibré de volumes fonctionnels, au
contour extérieur lui-même rectangulaire.
Manuel Francisco Lisboa, à Ouro Preto, en 1727, étire le
dispositif, approfondit la *capela mor*; il rétrécit les couloirs qui,
à la *Conception* d'Antonio Dias, desservent encore les chaires
et les tours. A *Sainte-Iphigénie*, il les supprime. Mais tandis que
les recherches commencent au Minas Gerais, les architectes
de Bahia, capitale qui, tout au long du demi-siècle, s'étiole
lentement avant d'être supplantée par Rio, s'en tiennent à
un relatif conservatisme : la *Conceição da Praia* (1736) garde
les proportions ramassées du XVIIe siècle et n'innove que par
ses tours plantées en diagonale aux angles de la façade
et coiffées de bulbes à ressauts.
Au nord et au sud cependant, le rectangle lusitanien ne fera
bientôt plus que dissimuler les transformations intérieures :
la nef de *São Pedro dos Clerigos*, l'église de la Confrérie des
Prêtres de Recife (1728), dessine un octogone allongé qui
tend vers l'ovale, comme l'église homonyme de Porto. Les
couloirs latéraux servent, entre autres usages, à « rattraper »
la différence entre ce contour complexe et l'enveloppe
rectiligne. La haute et lumineuse *capela mor*, profonde de
deux travées, pourvue comme la nef de « fenêtres » de
tribune décorées, figure un véritable chœur à l'européenne.
São Pedro, c'est une église de D. Zimmermann enchâssée
dans le bloc fonctionnel brésilien, une sorte de Steinhausen
simplifié, éclos à l'ombre de la maçonnerie traditionnelle.
Au *Pilar* d'Ouro Preto, A. F. Pombal construit en bois, à
l'intérieur d'un rectangle frère de celui de *Sainte-Iphigénie*, un

polygone qui donne finalement l'impression de l'ovale (1736). Dans cette cloison s'incrustent les retables, simples ornements de la structure nouvelle, alors qu'à Banz, autre défi aux murs parallèles, ils participent directement à son élaboration. La tribune qui court au-dessus des couloirs latéraux apporte la lumière extérieure à l'espace emboîté.

Que les couloirs épousent la courbure de la nef, que s'incurvent à leur tour les murs qui enrobent *capela* et sacristie, et l'on obtient le plan en 8 de *Notre-Dame d'Outeiro*, à Rio (1733 ?). L'unité du complexe bahianais est encore renforcée par l'assouplissement des formes et, surtout, elle s'exprime dans un agencement original des volumes extérieurs. L'évolution de l'architecture du Vieux Continent l'y aide au reste de façon décisive et il convient d'insister à ce propos, avec Germain Bazin, sur le caractère ouvert et cosmopolite du milieu carioque. En 1752, l'architecte des Tertiaires des Carmes, obnubilé par les grands exemples venus d'Europe, récupère la coupole romaine et, faute de croisée, la pose tant bien que mal à l'entrée de la *capela mor*. Et si *Notre-Dame d'Outeiro* peut s'interpréter comme un compromis entre emboîtement local des espaces et articulation européenne des masses, le trilobe de *São Pedro dos Clerigos*, avec sa coupole centrale et ses deux tours aux intersections des absidioles, n'évoque – n'évoquait avant sa récente destruction – que Borromini et sa postérité transalpine.

▶ *Deuxième moitié du XVIIIe siècle :*
le Minas Gerais et l'Aleijadinho

A partir de 1755, l'architecture brésilienne s'identifie à celle du Minas Gerais. Un pèlerinage, d'abord, le *Bom Jesus* de Matozinhos (1757), établi sur une colline près de Congonhas do Campo pour commémorer une guérison miraculeuse : la nef sans couloirs, les tours de façade en saillie sur le côté, renvoient à *Sainte-Iphigénie*; mais l'enveloppe rectangulaire est contestée au niveau du « chœur » : la sacristie et les couloirs dépassent la nef en largeur. Le vieux Manuel Lisboa, en 1766, aux *Tertiaires Carmes* d'Ouro Preto, refuse cette « irrégularité », mais son fils Antonio Francisco, le sculpteur mulâtre et peut-être lépreux qui deviendra célèbre sous le nom d'Aleijadinho (1738-1814), lui donne tout son sens, la même année, aux *Tertiaires Franciscains*. Il s'agit, comme à *Notre-Dame d'Outeiro*, de différencier les masses pour donner du prix à leur coordination. Le léger élargissement déterminé, à mi-longueur, par les couloirs, correspond à une diminution de hauteur. Un toit de même niveau que celui des couloirs, mais perpendiculaire, exprime ensuite la disposition transversale de la sacristie; il manifeste la présence,

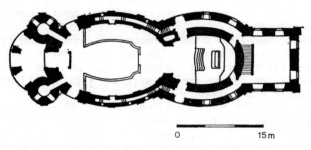

0   15 m

Fig. 15 – Eglise du Rosaire d'Ouro Preto

à la suite de « l'espace servant » des couloirs, d'un « espace servi » symétrique de la nef et pourtant de moindre dignité. L'Aleijadinho tire d'autre part les conséquences d'une des innovations paternelles : les couloirs ne conduisant plus jusqu'aux chaires traditionnellement situées au milieu des côtés de la nef, il ramène les chaires à l'entrée de la *capela mor*. Par quoi il leur assure à nouveau un accès invisible, et valorise l'arcade de la *capela*, qui n'apparaît plus comme un décor de charpenterie sculptée, mais comme un monument de pierre fonctionnellement justifié. L'Aleijadinho, enfin, fait bomber la façade en avant des deux tours et encadre le segment avancé de la protubérance, non des habituels pilastres, mais de colonnes portant des embryons de frontons obliques. Le Brésil ne l'a certes pas attendu pour enrichir les façades, pour denteler les frontons et en arrondir les coins en volutes, spécialement les provinces au nord de Bahia, et ce groupe somptueux que G. Bazin nomme

« l'école franciscaine du Nord-Est ». D'autres se sont chargés d'importer du Minho les articulations grises sur fond clair (par exemple à *Notre-Dame d'Outeiro*). L'apport de l'Aleijadinho, c'est le relief, la finesse rococo de la sculpture, et l'art d'harmoniser tous les éléments de la façade sans les priver de leur autonomie. Ses portails en *pedra sabão* lancent des prolongements, *putti*, médaillons, banderoles, mais n'envahissent pas les surfaces voisines. Polylobées comme celles du rococo allemand, ses fenêtres participent à un mouvement d'ensemble, mais restent nettement découpées, et *en contraste*.

Le 8 de *Notre-Dame d'Outeiro* reparaît aux environs de 1770 à *São Pedro dos Clerigos* de Mariana et au *Rosaire* d'Ouro Preto. Les ellipses sont maintenant parfaites, les façades convexes, et l'angle droit n'apparaît plus qu'à l'autre extrémité, à la sacristie.

A São João del Rei (*Tiers-Ordre de Saint-François*, 1774), l'Aleijadinho finit, tout en imprimant aux flancs de la nef une ondulation borrominienne, par éliminer tout couloir, rejeter la sacristie hors œuvre, et nous présenter enfin une *capela mor* nue. Tout se passe comme si les architectes du Minas avaient travaillé à se dégager peu à peu d'une gangue luso-brésilienne, et acquéraient la maîtrise du plus subtil idiome de l'Europe rococo – au moment même où l'Europe le renie.

De 1780 à 1805 l'Aleijadinho aménage le *Bom Jesus* de Congonhas, *prépare* l'entrée du pèlerin dans le sanctuaire de 1757. Chemin de croix dont les loges successives contiennent des « tableaux vivants » sculptés, « réalistes » et sentimentaux, escalier à plusieurs volées, longue esplanade : tout le matériel de la mise en scène de plein air et de la dévotion collective mis au point en Europe, et notamment à Braga, trouve ici une dernière utilisation au temps de Valmy et d'Austerlitz. Les célèbres statues des Douze Prophètes sont plantées aux coins de l'esplanade et aux articulations de l'escalier. Celles qui, lorsqu'on gravit la colline, paraissent, par un effet de perspective, dominer l'ensemble, font de grands gestes sur le ciel. Les autres, aussi éloignées de l'envol berninesque que du hiératisme, se penchent avec

Pl. xxxv – San Sebastian et Santa Prisca. Taxco. ▶

tendresse vers les hommes, leur propre humanité à peine corrigée par l'exotisme des profils, l'orientalisme des coiffures et la majesté des textes sacrés qu'ils désignent sur des rouleaux de pierre. La montée de l'escalier les révèle successivement sous des angles différents, compose avec leurs silhouettes, à chaque palier, un nouveau groupe : ainsi, dans l'abstraite Italie du Seicento, une ascension nouait et dénouait les faisceaux de colonnes... (v. PL. XXXIX).

9 | le Brésil : la « talha »

L'Aleijadinho, sculpteur et architecte, excelle à combiner structure et décor intérieur. Avant lui, avant l'époque rococo, il semble souvent que la *talha* prolifère et évolue pour son propre compte : on peut, pour le Brésil comme pour le Portugal, résumer à part son histoire. Les types de retables reproduisent d'ailleurs fidèlement les types métropolitains. Mais les revêtements de bois doré s'étendent plus vite, et de façon beaucoup plus générale, que dans le vieux royaume. Tout commence chez les Jésuites de Bahia qui, vers 1670, après avoir achevé leur retable-majeur, à deux étages et à seize colonnes, couvrent les parois de la *capela mor* de tableaux encadrés de *talha*. Chez les Franciscains de Recife, vers 1700, c'est la chapelle du Tiers-Ordre tout entière, plafond et chaire compris, que submergent peinture et étincelante ciselure : on la nomme depuis lors *capela dourada*. Une flore « observée » se mêle, dans cette serre tropicale, au millénaire herbier décoratif : des pousses incongrues sortent des spires des colonnes et balancent leurs crosses devant les vignes eucharistiques, des boules de pétales se gonflent parmi les acanthes. Au début du xviiie siècle, les Bénédictins de Rio s'attaquent à une tâche plus grandiose : les trois nefs de leur église seront tout entières livrées à la prolifération des rinceaux peuplés de *putti*. En 1736, les Franciscains de Bahia les imitent, poussés aussi sans doute par l'exemple de leurs frères de Porto. Au cours des travaux, les motifs dorés perdent leur boursouflure, les souvenirs phytomorphiques s'estompent et l'on voit apparaître, entre les « fenêtres » des tribunes, des panneaux d'entrelacs abstraits, des écoinçons quadrillés en losange, de minces volutes, qui annoncent la rocaille (v. PL. XXXVIII).

Les années 50 apaisent la *talha* bahianaise. Phase exaspérée, au contraire, à Recife : témoins la *Conception*, église de la Confrérie des Militaires, son balcon qui entoure et domine la nef, coincé entre le plafond et la corniche de bois sculpté, et son plafond même, chargé de monceaux de rocaille brune, blanche et dorée. Les motifs abstraits de ce rococo barbare prennent une épaisseur organique et d'inquiétantes coquilles à double bord y maintiennent une présence « naturelle », glissent dans ce grouillement une suggestive allusion sous-marine (vers 1780). A *São Bento* d'Olinda, dans le Pernambouc également, le maître-autel donne, sur un autre mode, un magnifique exemple de rocaille-volume : chaque degré du *trono* semble fait de ressacs, de jaillissements contrariés; des socles entièrement gauchis sortent les uns des autres, jusqu'à la niche en forme de violon qui doit contenir l'ostensoir.

G. Bazin a montré que certains milieux avaient conscience au Minas Gerais, dans la seconde moitié du XVIIIe siècle, des dangers que faisait courir à l'architecture le pullulement de la *talha*, et que la réaction dominée par l'Aleijadinho répondait à une attente. L'initiative la plus apparente consiste à éliminer l'universelle et étouffante dorure au profit d'une polychromie légère : l'or ne fait plus, désormais, que souligner des articulations : le retable, sans demeurer enfermé dans sa niche en plein cintre comme cent ans plus tôt, reprend son autonomie : les médaillons, les rocailles et les statues qui débordent dans la *capela mor* lui sont subordonnés, le couronnent et lui donnent son sens. Et l'on songe une fois de plus à l'Allemagne du Sud en voyant une gloire aux rayons sveltes, à *Saint-François* d'Ouro Preto ou à Nova Lima, surmonter la clef de la grande arcade qui encadre le maître-autel, avec en son milieu la Colombe du Saint-Esprit et, à droite et à gauche, le Père et le Fils. Le souci d'une construction logique a conduit, aux deux extrémités de l'aire rococo, à une utilisation identique de l'iconographie.

CHAPITRE IX

LES ARTS APPLIQUÉS

Évitons d'imposer à l'architecture, à la sculpture et à la peinture un isolement anachronique : l'époque, certes, enfermait souvent « artistes » et « artisans » dans leur spécialité ; les règlements corporatifs, du moins, s'y efforçaient ; mais on distinguait mal leurs conditions, et l'on confondait volontiers leurs œuvres dans des ensembles indivis. Aux arts « nobles », les Expositions qui se succèdent depuis une quinzaine d'années, en particulier *Le Siècle du Rococo* (Munich, 1958) et le *Barocco Piemontese* (Turin, 1963), ont massivement associé les « arts appliqués ». Décision que justifient notamment les caractéristiques de la société consommatrice. Une forte concentration des fortunes permettait mieux qu'ailleurs aux mécènes, semble-t-il, de se constituer un cadre de vie homogène et original et de le renouveler entièrement au gré des modes. Une classe pouvait en toute sécurité et en toute bonne conscience affirmer sa spécificité jusque dans le maniement des ustensiles de tous les jours, « faire descendre » la recherche artistique aux niveaux où, dans les sociétés bourgeoises, règne plutôt le souci de la solidité et de l'efficacité.

Peut-être cet élargissement permet-il, au surplus, de poser en termes relativement simples le problème « du Baroque ». En effet « l'art », en Espagne ou en Europe Centrale, reste dans son ensemble plus proche des *métiers* qu'en France ou en Angleterre, mais les personnalités exceptionnelles à la manière de Rubens et de Velazquez, les « intellectuels » comme Guarini, leur échappent comme partout : une unité pourrait apparaître sur ces confins de l'artisanat que fuient les génies inclassables, dans cette zone où les découvertes des créateurs ne parviennent qu'investies d'une signification sociologique, nivelées, figées en une *manière*. Un « monde baroque » s'organisera-t-il autour de la technique et du vocabulaire décoratif des verriers, des ébénistes, des lissiers et des orfèvres ? De fait, les grandioses célébrations de Munich et de Turin nous ont laissé une sensation de cohésion fourmillante; un même « esprit » tordait les pieds des fauteuils et les broderies des chasubles, échancrait les meubles rouges et nacrés de Piffetti, ridait en tornade le ventre des cafetières d'argent, semait les C crêtés des rocailles sur les ostensoirs, les sextants et les nécessaires de toilette...

Analogies à vrai dire bien superficielles. En essayant de définir une « Esthétique des Lumières », P. Francastel a montré les dangers de ces présentations de splendeurs en vrac, et même de celles qui, conçues avec un minimum de prudence, évitent de mêler le rococo à l'âge du Bernin et au *Hochbarock*. On ne peut ébaucher ici une histoire de chacun des « arts appliqués » entre 1600 et 1770; mais on peut, en évoquant certaines des causes de leur extraordinaire floraison, éclairer leur diversité profonde – mieux, l'une des ambiguïtés fondamentales de « l'ère baroque ».

Il y a d'abord, tout comme au siècle précédent, le goût des princes. Plus précisément, leur *curiosité* et leur passion pour l'insolite, pour l'objet rare, sinon unique. La salière ciselée, la coupe de cristal taillé, sont avant tout pièces de collection. Pour les objets les plus petits et les plus coûteux, a été conçu, bien avant 1600, le *cabinet*, meuble à compartiments multiples, ou plutôt palais en réduction, microcosme. Le *cabinet*, dont l'intérieur imite souvent une salle d'apparat, avec des colonnes, un balcon, un carrelage soulignant la perspective, représente un effort significatif pour créer et dissimuler un monde artificiel et précieux, pour figurer dans toute sa pureté un monde du privilège. Exemple type du prince collectionneur, Rodolphe II, l'empereur de Prague, mort en 1612, à la Cour de qui travaille, parmi les astrologues et autres maîtres de l'ésotérisme, une famille de ciseleurs

italiens, les Miseroni. Rodolphe est un homme du passé,
mais trois générations de Miseroni fabriqueront, pour les
Trésors de ses successeurs et pour ceux des magnats, des
vases de cristal ou de jaspe filigranés d'argent et d'inutiles
ustensiles d'agate ou d'améthyste. La même passion se
retrouvera au xviiie siècle, chez l'électeur de Saxe qui
cédera trois régiments au roi de Prusse en échange d'une
collection de porcelaines.
Habiletés italiennes, caprices de souverains blasés, raffinements de grands seigneurs trop riches – mais, d'autre part,
persistance de traditions plus populaires. Aucune cloison
étanche, certes, ne sépare les deux domaines, et le vieil
artisanat se met souvent au service des Cours. Nombre de
ses productions demeurent pourtant inassimilables; tels,
en Bohême, les étains, héritage direct du Moyen Age :
le xviie siècle impose quelques courbes, le xviiie siècle des
rocailles, mais l'aspect général de la vaisselle, des fonts
baptismaux, ne varie guère. Les « arts appliqués » ne font
à leur temps, dans bien des cas, que des concessions de
détail. Le Settecento piémontais permettrait d'instructives
comparaisons entre la faïence, depuis longtemps connue et
largement utilisée, et la moderne et luxueuse porcelaine :
vers 1735 la faïence résiste encore au rococo et, pour se
renouveler, récupère les motifs « à la Bérain » qui ont disparu
depuis longtemps des décors aristocratiques.
Mais un troisième fait domine l'époque : le changement
d'attitude du Pouvoir à l'égard des « arts appliqués ».
Leurs produits cessent peu à peu de servir exclusivement à la
jouissance des princes; leurs secrets, en même temps,
commencent à échapper à la garde jalouse et stérilisante
des lignées d'artisans. Ils feront l'objet, de plus en plus,
d'une recherche technique, sinon scientifique, officiellement
encouragée, prendront place, tant bien que mal, dans le
cadre d'une économie plus ou moins concertée. Rodolphe II
lui-même ne doit pas être victime d'interprétations simplistes.
Ce Habsbourg de fin de race, en un sens, prépare l'avenir.
Ses superstitions médiévales favorisent les calculs de Tycho
Brahé et de Képler; de même, ses manies de collectionneur
provoquent l'essor de la verrerie de Bohême. C'est l'un de

ses artisans du Hradschin, Lehmann, qui réussit en 1609 à appliquer au verre les procédés de la taille du cristal. Les verres ainsi décorés demeureront certes des objets de luxe, mais ils conquerront à la fin du siècle les marchés d'Europe et d'Amérique et ce succès entraînera des perfectionnements décisifs du matériau lui-même.

La porcelaine pour l'amour de laquelle Auguste le Fort compromit la sécurité de ses États, que nous associons aux images de la « frivolité » rococo, qui perpétue les scènes d'idylle, fut aussi une conquête rémunératrice de l'industrie chimique allemande. La découverte de Böttger brise en 1710 le monopole de la Chine et supprime une aléatoire et coûteuse importation. Les souverains qui s'efforcent ensuite de surprendre les secrets de la fabrique de Meissen obéissent comme on sait à des préoccupations avant tout économiques.

Ceux qui parlent de la « civilisation baroque » en oublient trop aisément l'ambivalence. Société conservatrice assurément, mais que l'on mutile en l'expliquant par de naïves ou cyniques maintenances. En ces siècles de prodigieux gaspillage apparaissent, avec les premières formes d'industrie, les embryons de l'utilitarisme moderne. Age de l'inutile, sans doute – mais où pour la première fois l'on s'efforce, si l'on peut dire, de faire servir l'inutile à quelque chose. Nous avons décelé cette préoccupation dans le domaine de l'architecture. Si Ernest-Auguste de Saxe-Weimar se ruine en « folies » de mauvaise qualité, que personne n'habitera et dont le premier orage percera le toit, d'autres princes, et notamment les abbés souverains, construisent pour ranimer le commerce et assurer le « plein emploi ». C'est à la prière de leurs sujets menacés par le chômage que les Bénédictins de Saint-Gall rebâtissent leur église. De même les « arts appliqués » assurent, ou passent pour assurer, la prospérité de la nation. Ils trahissent de façon savoureuse les scléroses corporatives, mais leur développement annonce aussi l'éclatement des corporations. Le luxe, c'est l'injustice, mais c'est aussi le progrès. Insolente illustration du cloisonnement de la société, il finit par compromettre l'étanchéité des castes.

PL. xxxvi – B. NEUMANN. Vierzehnheiligen. ▶

Son caractère international l'y aide : dans cet empire du monopole et du secret que composent les ateliers d'artisans et les manufactures royales, les modes passent les frontières avec une facilité inattendue, *y compris la frontière théorique des deux Europes*. Pour le décor, pour l'ornement, la France et les pays du Nord ne se séparent guère du monde des Habsbourg. Bérain a influencé à retardement les faïences du Piémont, mais dès le dernier quart du xviie siècle, ses inventions sont répandues en Allemagne, J. Vanuxem l'a montré, par les éditeurs d'Augsbourg. La Ville Impériale qui, comme Anvers, avait joué un grand rôle créateur au xvie siècle, la ville biconfessionnelle, à la limite des deux Europes, garde au xviie siècle, grâce aux « arts appliqués », à la gravure, à l'orfèvrerie, une position de relais, de plaque tournante. Puis vient le rococo : au niveau de l'architecture et de la sculpture proprement dite, il permet à l'Allemagne, au Brésil, d'affirmer leur personnalité mais, au niveau des lambris, des commodes et des bougeoirs, il fonde une Internationale d'inspiration française. Fait d'importance, si l'on songe avec P. Francastel à tout le contexte parisien du rococo, aux rapports subtils et éphémères, mais peu contestables, qu'il entretient avec les naissantes Lumières : à la suite de Watteau et de Meissonnier des principes vont pénétrer qui menacent l'Europe de Borromée, de Lainez et de Canisius.

CONCLUSION

Les trop schématiques revues qui précèdent ont par la force des choses faussé des proportions, ont imposé à certaines perspectives d'inévitables gauchissements. Nous n'avons pas épuisé les richesses de l'empire hispano-portugais. Préférant le silence à un résumé exsangue, nous sommes demeurés à l'écart du, ou des, « baroques russes ». Des États marginaux, comme la Prusse ou la Hongrie, eussent sûrement mérité que l'on notât leurs similitudes et que l'on expliquât leurs différences.

Le lecteur a senti qu'à vouloir opérer en si peu de pages un dénombrement exhaustif, nous risquions des déformations plus graves encore. Mais peut-être s'étonne-t-il davantage, au seuil de la conclusion, de ne pas entrevoir mieux qu'au début la définition de *l'Art baroque*.

L'auteur n'est pas, sur ce point, mieux assuré. Des influences majeures, certes, ont couru à travers la demi-douzaine de générations qui viennent d'être évoquées. Et d'abord celle de la grande rhétorique du Bernin, de ses colonnades et de ses haies de pilastres colossaux. Nous avons vu se répandre, dans le dernier tiers du XVIIe siècle, une *koïnè* d'inspiration berninesque. Mais, si un Fischer von Erlach l'utilise en partie pour exprimer son sens de la grandeur impériale et sa vision de l'Antique, elle explique surtout les Juvarra, les Vanvitelli, les Sacchetti, les artistes internationaux que, sous l'influence de la terminologie traditionnelle, on serait tenté de qualifier de « classicisants ». Wittkower n'ouvre-t-il pas à leur intention la catégorie du *classical Baroque* ? Identifions au contraire « le vrai baroque » avec le « paroxysme » borromino-guarinien : un courant nous entraîne vers Hildebrandt et la Bohême-Moravie; il féconde assurément un morceau d'Allemagne, mais il effleure à peine la Pologne et l'Espagne; les Pays-Bas l'ignorent, et même la Souabe. Or, si la seule « architecture baroque » se dérobe ainsi à la définition, qu'en sera-t-il de la peinture et de la sculpture – de l'ensemble des arts ? Une tradition de la grande fresque épique relie à P. de Cortone les Allemands du XVIIIe siècle et Tiepolo. Mais il ne s'agit que d'*un genre*, soumis d'ailleurs en partie à des impératifs extra-picturaux. A Venise, à Rome même, la peinture vit sous d'autres formes. Rubens a dépassé par avance la *koïnè* du *palais Barberini* et du *Pitti*, les Espagnols du *Barroco* ne la balbutient qu'à leurs moments de faiblesse. Le berninisme semble régir plus impérativement la sculpture. Mais là encore l'Espagne refuse l'assimilation, sans parler de la pierre engourdie du Pérou, du bois hiératique du *Hochbarock* allemand ou polonais.

Faut-il proscrire sans appel le terme qui nous a fourni un titre et qui a déclenché notre enquête ? Terrorisme excessif, sans doute. La plupart des milieux dont nous avons résumé les recherches ont droit à une dénomination qui sanctionne tant bien que mal leur relative cohérence et leur originalité, leur aptitude à « lancer » une *koïnè* ou au moins à construire pour leur propre compte, à partir de *koïnaï* surmontées, un idiome spécifique. Mais si nous usons à cette fin modeste du mot *baroque*, lestons-le aussi souvent que possible d'une épithète – *romain, viennois, tchèque...* – qui lui donne un minimum de contenu, et rappelle que *chaque baroque* diffère des autres, que *les baroques* ne peuvent se définir par référence à une Essence unique.

Cette diversité préservée 150 ans, malgré les parentés politiques, économiques et spirituelles qu'a rappelées notre Introduction, ne doit ni surprendre ni décevoir. Elle justifie au contraire, mieux qu'une problématique « unité », l'intérêt passionné que suscitent de nos jours l'art du Seicento, l'art de la Bohême, l'art mexicain. Elle pose malgré tout un problème : si « l'autre Europe » et ses annexes comportent en leur sein

PL. XXXVIII – La talha dans les églises brésiliennes. ▶

de si flagrantes disparates, pourquoi continuer à les séparer
de l'Europe dont, depuis deux siècles, les Français admirent
d'emblée les œuvres après les avoir baptisées *classiques* ? De
récents ouvrages, tel celui qu'a publié F.-G. Pariset dans la
présente collection, s'attaquent précisément à la notion
d'*un* art *classique* défini de toute éternité, reflet immuable
d'une Idée. Les deux groupes de pays opposés à Vervins,
puis à Munster et à l'Ile des Faisans, ont également lancé
leurs artistes à la conquête tâtonnante de terres vierges :
la frontière que nous avons tracée entre eux a-t-elle plus
de réalité que le « mur de feu » dressé par l'Inquisition autour
du monde hispanique ou le fossé qui se creuse entre la France
absolutiste et l'Angleterre de Cromwell, bientôt des
Whigs ?
De fait, depuis que l'on parle d'*art baroque*, on s'interroge
sur le « baroque français ». Question bien vague lorsqu'on
la pose en ces termes. Mais nul n'a le droit d'oublier les
rapports incessants que la France entretint avec l'Italie
et la Flandre au XVIIe siècle, et ce que le « style Louis XIV »
doit aux *koïnaï* du Seicento ou à Rubens. Les faits sont, en
un tel domaine, innombrables et d'une interprétation
délicate ; ils peuvent donner lieu à de longues controverses,
alimentées éventuellement par des considérations étrangères
à l'esthétique. Il importe surtout de ne pas méconnaître
la difficulté de principe qu'ils nous rappellent, et d'éviter
ainsi de transformer en dogme une hypothèse de travail,
de scléroser le cadre historique et géographique que nous
avons esquissé « en pointillé », et dont la principale vertu
est de désigner à notre attention divers ensembles artistiques
sans postuler leur définition, sans les ensevelir au départ
dans des fourrés d'*a priori*.

Hâtons-nous d'ailleurs d'ajouter que la perméabilité d'une
frontière n'a jamais suffi à compromettre « l'originalité » des
pays qu'elle sépare. Les emprunts au Bernin et à Cortone
n'*italianisent* pas plus la France que l'admiration pour
Versailles et pour Paris n'engendrera du Rhin à la Neva,
quoi qu'on en ait dit, une *Europe française*. Le monde des
Habsbourg, de la Curie et des moines a rêvé d'étanchéité ;

or c'est au moment où ses remparts se sont ébranlés, où il s'est entrouvert aux influences extérieures, que la plupart des royaumes et des provinces qui le composaient ont pris leur physionomie originale. C'est au moment où commence à s'affirmer le prestige de la France, puis de l'Angleterre, que l'art d'une partie de l'Europe et de l'Amérique, abjurant Vignole et sa descendance alpine, trichant avec Herrera et Terzi, devient pour plus de deux siècles, aux yeux des Français et des Anglais, un objet d'étonnement horrifié. Rome seule, et peut-être Venise et Turin, ont su trouver leur voie au temps de l'isolement. N'exigeons pas des pays de l'Ouest et du Nord, pour les tenir hors de notre recherche, qu'ils se soient dérobés aux échanges avec l'Est et le Midi. N'exigeons pas de l'Europe que nous venons de parcourir, pour lui reconnaître le droit d'être traitée à part, qu'elle se soit figée jusque vers 1770 en Europe du refus. Il nous suffit qu'elle soit demeurée dans une certaine mesure, à côté de l'Europe des initiatives, une Europe de l'attente avide ou hostile. On ne peut dresser contre les Lumières, pour que les contours de ce livre gardent leur justification au XVIIIe siècle, un monde *baroque*, ou *rococo*. Il reste que tout un monde a paru *recevoir* les Lumières comme une importation précieuse, ou les *subir* comme une contagion – que, comme l'écrit Charles Morazé dans une Introduction à l'histoire de la Science au XVIIIe siècle, « le progrès est venu de l'Atlantique ».

Ainsi pour les tendances que l'on groupe sous le nom de *Néo-Classique*, et dont le triomphe fournit une spectaculaire conclusion à l'infiltration des Lumières – en en restreignant la portée. Dans une partie de l'Europe, en Amérique Latine, elles passent pour déterminer une rupture avec les traditions locales, alors qu'en un pays comme la France, elles semblent favoriser une reprise de conscience. En Espagne, en Pologne, dans l'Empire, le rationalisme politique et architectural est un luxe de privilégiés cosmopolites. En France, il est associé aux forces qui, au cœur de la société, préparent la Révolution. Différence décisive et qui explique certaines erreurs d'optique : dans l'univers que nous appelons *baroque,* la « réaction » de 1770 n'a guère entamé les structures. Elle s'est *juxtaposée, plaquée,* plus qu'elle n'a bouleversé. Quant à Napoléon, sans doute contribua-t-il, en soulignant de façon grossière le caractère « importé » des Lumières, à rendre précieux aux peuples envahis ce qui en avait précédé la diffusion. Supprimé d'un trait de plume étrangère, le Saint-Empire a moins totalement disparu que si l'on avait laissé les poussées internes venir à bout de sa branlante ossature. La Grande Armée a préservé une partie de l'Europe comme la cendre a préservé Pompéi... La quinzaine de pays rassemblés ici ont peut-être en commun, essentiellement, de n'avoir pas été mûrs dès la fin du xviiie siècle pour leur propre nuit du 4 août, et de ne s'être dégagés de la féodalité que lorsque, l'Histoire inventée, on eut appris à faire du passé le complice de l'avenir. Furent-ils plus « conservateurs » que les autres *avant* 1770 ? Peut-être ne nous posons-nous la question que parce qu'ils le furent *après.*

TABLE DES ILLUSTRATIONS

illustrations hors texte

PLANCHE III. BORROMINI. *Saint-Yves-de-la-Sapience* (Rome). 1642-1650. L'intérieur de la coupole. On notera le rythme ternaire, matérialisé notamment, au niveau de la corniche, par les échancrures des trois absidioles. (Cf. p. 21.) (Cl. Peter Heman.) V. p. 10

PLANCHE IV. BORROMINI. *Sainte-Agnès* (Rome). Coupole, tours et façade. L'église a été commencée en 1652 par Girolamo et Carlo Rainaldi, reprise l'année suivante par Borromini. La décoration ne sera terminée qu'en 1666. Au centre de la place Navone, entourant l'obélisque, les Quatre Fleuves de la Fontaine du Bernin (voir Couverture). (Cf. p. 22.) (Cl. von Matt-Rapho.) V. p. 11

PLANCHE V. ANDREA POZZO. *L'œuvre missionnaire des Jésuites.* 1691-1694. Cette fresque couvre la voûte de la nef de l'église *Saint-Ignace* (Rome). Le Frère Pozzo (1642-1709), Italien du Nord (il est né à Trente), a été formé par la *quadratura* bolonaise. Ses décors amovibles pour *Theatrum Sacrum*, peints notamment pour le chœur du *Gesù*, ont influencé non seulement les décorateurs de théâtre du xviiie siècle, mais ceux des églises rococo à retables emboîtés par la perspective (voir Diessen, Pl. XXXIII). La célèbre fresque de *Saint-Ignace* fournit un des plus beaux exemples d'architecture feinte « ouvrant » la voûte et prolongeant l'architecture réelle. En 1702, l'Empereur appelle Pozzo à Vienne où il peindra notamment la voûte de l'église des Jésuites et les plafonds du palais Liechtenstein. Son influence sur la peinture germanique du xviiie siècle est énorme. L'Electeur Lothaire-François de Schönborn voulut lui confier la décoration de sa résidence de Bamberg; il refusa, dit-on, parce que les plafonds étaient trop bas et ne lui eussent pas permis de calculer de beaux effets de perspective. (Cf. p. 37.) (Cl. Scala.) V. p. 18

PLANCHE VI. ANTONIO RAGGI. Stucs à la base de la voûte du *Gesù*. Raggi (1624-1686) est un des plus brillants disciples du Bernin et un virtuose du stuc. Tous les personnages de la voûte du *Gesù* ne sont d'ailleurs pas de sa main. Il semble d'autre part que le peintre de la fresque de l'*Adoration du Nom de Jésus* (Giovan-Battista Gaulli, dit le Baciccio), qui couvre le centre de la voûte, ait donné les dessins pour les stucs. L'église de Vignole a été dotée de cette décoration entre 1674 et 1680. (Cf. p. 36.) (Cl. von Matt-Rapho.) V. p. 26

PLANCHE VII. PIERRE DE CORTONE. *Sainte-Marie-de-la-Paix* (Rome). 1656-1657. Façade. La construction de cette façade, qui est placée devant une église du Quattrocento, non loin de la place Navone, a entraîné l'élargissement et le « remodelage » d'une petite place. (Cf. p. 22.) (Cl. von Matt-Rapho.) V. p. 27

PLANCHE VIII. GUARINO GUARINI. *Saint-Laurent* (Turin). 1668-1679. Intérieur de la coupole et pendentifs. Fausse coupole en réalité, enfermée dans un tambour : un second tambour coiffé d'une vraie coupole la surmonte; on aperçoit le fond de cette dernière coupole, extrêmement lumineux, au centre de la photo. Les huit nervures qui évoquent l'art musulman et l'art roman d'Espagne forment claire-voie. (Cf. p. 29.) (Cl. Peter Heman.) V. p. 34

un peu plus larges et plus profondes. A la voûte, stucs *Hochbarock* entièrement blancs aux formes relativement épaisses ; motifs phyto-morphiques plus ou moins stylisés. L'auteur en est J. Schmuzer, de Wessobrunn. On aperçoit le retable du maître-autel et les deux retables dressés à l'entrée du chœur, contre les *Wandpfeiler* qui forment la paroi orientale du transept. Ils sont en bois brun et doré. Ils datent de 1696-1698, et sont dus au menuisier Speisegger et au sculpteur Etschmann. (Cf. p. 64.) (Cl. Hirmer Verlag.)   V. p. 74

PLANCHE XVII.   JOHANN BERNHARD FISCHER VON ERLACH. *Saint-Charles-Borromée* (Vienne). Commencée en 1716 à la suite du vœu formulé pendant la peste de 1713 par l'Empereur Charles VI. Achevée en 1729 par le fils de Fischer. On sait que la façade est exceptionnellement large : la largeur de la nef équivaut à celle du portique, la largeur du transept à la distance qui sépare les deux « colonnes trajanes ». (Cf. p. 73.) (Cl. Boudot-Lamotte.)   V. p. 75

PLANCHE XVIII.   J. B. FISCHER VON ERLACH. *Palais de ville du prince Eugène* (Vienne, Himmelpfortgasse). Commencé en 1696-1697. L'escalier. (Cf. p. 73.) (Cl. Peter Heman.)   V. p. 82

PLANCHE XIX.   JOHANN LUKAS VON HILDEBRANDT. *Gartenpalast Schwarzenberg.* Façade sur cour. Commencé en 1700 pour le comte Mansfeld ; acheté en 1716 par le prince Schwarzenberg, qui fit terminer la décoration intérieure par Fischer von Erlach. (Cf. p. 74.) (Cl. Boudot-Lamotte.)   V. p. 83

PLANCHE XX.   RUBENS. *L'Enlèvement des Filles de Leucippe* (Munich. Pinacothèque). Peint entre 1615 et 1620. (Cf. p. 59.) (Cl. J. Blaüel.)   V. p. 90

PLANCHE XXI.   JOSEF MUNGGENAST. *Dürnstein, entrée du couvent.* 1721-1725. Cette abbaye de chanoines de Saint-Augustin est située au bord du Danube, à quelques kilomètres en aval de Melk. Ce beau por-tail en forme de retable, avec les statues des Quatre Pères de l'Eglise latine, a été sculpté par Matthias Steinl. (Cf. p. 76.) (Cl. Petit – Atlas Photo.)   V. p. 98

PLANCHE XXII.   AGOSTINO LOCCI. *Château de Wilanow* (banlieue de Varsovie). 1677-1696. Vue partielle de la cour d'honneur. Elevé pour le roi Jean Sobieski sur l'emplacement d'un manoir plus ancien. Schlüter a été l'assistant de Locci. Auguste le Fort a effectué quelques trans-formations en 1730, notamment aux longues ailes perpendiculaires au corps de bâtiment que l'on voit ici. (Cf. p. 78.) (Cl. Boudot-Lamotte.)   V. p. 99

PLANCHE XXIII.   KILIAN-IGNAZ DIENTZENHOFER. *Saint-Nicolas-de-la-Vieille-Ville* (Pra-gue). 1732-1737. Cette façade dressée sur la vieille place de l'Hôtel de Ville correspond au flanc sud de l'église, ainsi qu'en témoigne l'abside que l'on aperçoit à droite de la photo. La nef forme un octogone couvert par une coupole et cantonné de quatre minus-cules chapelles elliptiques. (Cf. p. 85.) (Cl. Boudot-Lamotte.)   V. p. 106

nef, c'est-à-dire entre les travées qui surmontent les tribunes et qui sont en fait réduites à des couples de « pénétrations » triangulaires jointes par le sommet. Les stucs représentent un état intermédiaire entre le *Hochbarock* (voir Planche XVI) et le rococo (voir Planche XXXVI). (Cf. p. 114.) (Cl. Peter Heman.)
V. p. 131

PLANCHE XXX.   FRANCESCO GUARDI (1712-1793). *Le Doge sur le Bucentaure* (détail). Paris. Musée du Louvre. (Cf. p. 97.) (Cl. Giraudon.)   V. p. 138

PLANCHE XXXI.   JOHANN DIENTZENHOFER. *Château de Pommersfelden.* 1711-1718. Le grand escalier. Cet escalier, l'un des plus beaux de l'Allemagne baroque, occupe, avec ses deux étages de galeries, toute la hauteur du pavillon central du château construit près de Bamberg pour l'archevêque-électeur de Mayence, Lothaire-François de Schönborn, également évêque de Bamberg. La tradition rapporte que la plus grande partie des travaux furent financés grâce au « pot-de-vin » touché par Lothaire-François pour l'élection de l'empereur Charles VI. On dit aussi que l'Electeur, grand amateur d'architecture, est en partie responsable de la conception de l'escalier. (Cf. p. 115.) (Cl. Hirmer-Verlag.)   V. p. 146

PLANCHE XXXII.   MATTHAES-DANIEL PÖPPELMANN. Le *Zwinger* de Dresde. Conçu en principe comme annexe du palais de l'électeur de Saxe, roi de Pologne, le *Zwinger* est une sorte d'enceinte rectangulaire, avec les deux petits côtés arrondis en *oméga*. Galeries basses destinées à servir d'orangeries et ponctuées de pavillons à deux étages. La cour était destinée aux fêtes et aux carrousels. Sculptures célèbres de Permoser. L'essentiel des travaux date de 1710-1720. (Cf. p. 130.) (Cl. Boudot-Lamotte.)   V. p. 147

PLANCHE XXXIII.   JOHANN-MICHAEL FISCHER. *Eglise de Diessen.* 1732-1739. Diessen est une abbaye de chanoines de Saint-Augustin située non loin de Munich au bord de l'Ammersee. Œuvre de la première partie de la carrière de Fischer. La structure est celle du Vorarlberg. L'un des meilleurs exemples d'église-théâtre : on aperçoit dès l'entrée, emboîtés par la perspective, tous les retables adossés aux *Wandpfeiler.* Le tableau du maître-autel qui occupe le fond de la perspective est amovible, et peut être remplacé par d'autres pour certaines cérémonies. Fresques de Johann-Georg Bergmüller. Stucs de Franz-Xaver et Johann-Michael Feichtmayr, de Wessobrunn. Tons dominants : blanc et brun. (Cf. p. 124.) (Cl. Hirmer Verlag.)
V. p. 154

PLANCHE XXXIV.   FRANÇOIS CUVILLIÈS. *L'Amalienburg.* Pavillon élevé de 1734 à 1739 dans le parc du château de Nymphenburg, aux portes de Munich, pour l'électrice Amélie. Les stucs sont de Johann-Baptist Zimmermann, de Wessobrunn et représentent l'un des sommets de la sculpture rococo. Les stucs sont argentés, sur fond bleu dans le grand salon, sur fond paille dans les autres pièces. (Cf. p. 130.) (Cl. Peter Heman.)   V. p. 155

illustrations in texte

BIBLIOGRAPHIE

OUVRAGES GÉNÉRAUX

Les architectes célèbres, sous la direction de P. FRANCASTEL (Paris, Mazenod, 1959).

N. PEVSNER, *An Outline of European Architecture* (Penguin Books, 1943, 1957).
– *Europäische Architektur* (éd. augmentée, Munich, Prestel, 1957).

V.-L. TAPIÉ, *Baroque et Classicisme* (Paris, Plon, 1957).
– *Le Baroque* (Presses Universitaires de France, 1961, collection « Que sais-je ? »).

Lire également l'article de P. FRANCASTEL, Baroque et Classicisme (in *Annales E.S.C.*, janvier-mars 1959) et la réponse de V.-L. TAPIÉ (*ibid.*, octobre-décembre 1959).

J. VANUXEM, *L'art baroque* (Encyclopédie de la Pléiade, *Histoire de l'Art*, 3, Paris, Gallimard, 1965. Le chapitre sur l'art latino-américain a été rédigé par le P. ANDRÉ-VINCENT).

G. BAZIN, *Classique, Baroque et Rococo* (Paris, Larousse, 1965).

P. CHARPENTRAT, *Baroque* (Fribourg, Office du Livre, 1964, collection « Architecture Universelle »).

Des innombrables ouvrages qui proposent une *théorie du Baroque*, retenons l'un des plus anciens, des plus brillants et des plus suggestifs :

H. WOELFFLIN, *Principes fondamentaux de l'Histoire de l'Art* (traduction RAYMOND, Paris, Plon, 1952).

Rappelons enfin que l'ensemble des pays considérés est couvert par différents tomes de l'indispensable *Pelican History of Art* (Penguin Books) :

R. WITTKOWER, *Art and Architecture in Italy, 1600 to 1750* (1958).

G. KUBLER et M. SORIA, *Art and Architecture in Spain and Portugal and their American dominions, 1500-1800* (1959).

H. GERSON et E. H. ter KUILE, *Art and Architecture in Belgium* (1960).

E. HEMPEL, *Art and Architecture in Central Europe* (1965).

OUVRAGES PARTICULIERS

Les ouvrages particuliers sont extrêmements nombreux; il est impossible, et il ne serait d'ailleurs pas très profitable, d'en donner une liste à peu près complète.

Sur l'Italie :

A. CHASTEL, *L'art italien* (Paris, Presses Universitaires de France, 1963, collection « Les Neuf Muses »).
G. C. ARGAN, *Architettura Barocca in Italia* (Milan, Mondadori, 1952).
R. PANE, *Bernini architetto* (Venise, 1953).
R. PALLUCHINI, *La pittura veneziana del Settecento* (Venise, 1960).

La petite collection «Astra Arengarium» (Milan, Electa) présente d'utiles monographies, fort bien illustrées; voir notamment le *Borromini* de M. V. PEROTTI (1951) et le *Guarini* de P. PORTOGHESI (1956).
Se reporter également aux catalogues des expositions *Le Caravage et la peinture italienne au XVIIᵉ siècle* (Louvre, février-avril 1965) et *Peinture italienne au XVIIIᵉ siècle* (Petit-Palais, novembre-janvier 1961), ainsi qu'au magnifique catalogue en 3 volumes de la *Mostra del Barocco Piemontese* (Turin, 1963).

Sur le monde hispanique :

J. LEES-MILNE, *Baroque in Spain and Portugal* (Londres, Batsford, 1960).
G. PILLEMENT, *La sculpture baroque espagnole* (Paris, Albin Michel, 1945).
J. LOPEZ-REY, *Velazquez* (Londres, 1963).
P. GUINARD, *Zurbaran et les peintres espagnols de la vie monastique* (Paris, Éditions du Temps, 1960).

L'article d'H. DAMISCH auquel nous nous sommes référé au chapitre VI, L'œuvre des Churriguera et la catégorie du masque, a été publié par les *Annales E.S.C.* (mai-juin 1960).

P. KELEMEN, *Baroque and Rococo in Latin America* (New York, Macmillan, 1951).
M. TOUSSAINT, *Arte colonial en Mexico* (Mexico, 1962).
G. BAZIN, *L'architecture religieuse baroque au Brésil* (Paris, Plon, 1956-58).

Sur la Bohême :

H. G. FRANTZ, *Bauten und Baumeister der Barockzeit in Böhmen* (Leipzig, V.E.B. Verlag, 1962).
K. M. SWOBODA, *Barock in Böhmen* (Munich, Prestel, 1964).

Sur les pays germaniques :

En anglais, deux « manuels » exacts et commodes :

J. BOURKE, *Baroque churches of Central Europe* (Londres, Faber & Faber, 1958).
N. POWELL, *From Baroque to Rococo* (Londres, Faber & Faber, 1959).

En français, quelques études partielles :

Congrès de la Société Française d'Archéologie, CVe session, tenue en Souabe en 1947 (Baden, 1949).

P. Du Colombier, *L'architecture française en Allemagne au XVIIIe siècle* (Paris, Presses Universitaires de France, 1956).

P. Charpentrat, Baroque en Souabe (in *Mercure de France*, décembre 1964).

En allemand :

Ouvrages d'ensemble de A. Feulner (*Bayerisches Rokoko*, Munich, 1923), de W. Pinder (par exemple le *Deutscher Barock* des Blaue Bücher, Königstein, 1957) et, ancien mais très utile, M. Hauttmann, *Geschichte der kirchlichen Baukunst in Bayern, Schwaben und Franken* (Munich, 1921).

B. Grimschitz, R. Feuchtmüller et W. Mrazek, *Barock in Osterreich* (Vienne, Hanovre et Berne, Forum Verlag, 1962).

H. Tintelnot, *Die barocke Freskomalerei in Deutschland* (Munich, 1951).

Th. Müller, *Deutsche Plastik Renaissance und Barock* (Königstein, 1963).

Notons deux excellentes études partielles :

N. Lieb, *Barockkirchen zwischen Donau und Alpen* (Munich, 1953).

N. Lieb et F. Dieth, *Die Vorarlberger Barockbaumeister* (Munich, Zurich, 1960).

Et, parmi les monographies :

H. Sedlmayr, *Johann Bernhard Fischer von Erlach* (Vienne, 1956).

M. H. von Freeden, *Balthazar Neumann, Leben und Werk* (Berlin, Munich, Deutsch. Kunstverlag, 1953).

E. Hanfstaengl, *Die Brüder Asam* (Berlin, Munich, D. Kunstverlag, 1955).

B. Grimschitz, *Wiener Barockpaläste* (Vienne, 1947).

Et, bien entendu, les *kleine Führer* (Munich et Zurich, Schnell & Steiner) que l'on trouve à la porte de toutes les églises germaniques.

1967. — Imprimerie des Presses Universitaires de France. — Vendôme (France)

Héliogravure Georges Lang, Paris

ÉDIT. N° 29 025   IMPRIMÉ EN FRANCE   IMP. N° 20 049